Trucs et remèdes de grands-mères
de Madame Chasse-taches

De la même auteure

L'ABC des trucs de Madame Chasse-taches, édition augmentée, Les Éditions Publistar, 2008.

L'ABC des trucs de cuisine de Madame Chasse-taches, Les Éditions Publistar, 2006.

L'ABC des trucs de Madame Chasse-taches, Les Éditions Publistar, 2005.

100 recettes Montignac pour protéger votre cœur, en collaboration, Les Éditions Publistar, 2002.

Recettes, trucs et astuces au fil des saisons, TVA publications, 2001.

Les P'tits Trucs de Louise, Les Éditions Trustar, 1997.

Dans la même collection

Rock Giguère, *L'ABC des trucs de jardinage de Rock Giguère*, Les Éditions Publistar, 2006.

Didier Girol, *L'ABC des trucs du chef Didier, la pâtisserie et ses secrets*, Les Éditions Publistar, 2006.

Christian Fortin, Corinne De Vailly, *L'ABC des trucs de santé du Dr Fortin*, Les Éditions Publistar, 2006..

LOUISE ROBITAILLE

Trucs et remèdes de grands-mères de Madame Chasse-taches

LES ÉDITIONS
PUBLISTAR
Une compagnie de Quebecor Media

Catalogage avant publication de Bibliothèque et Archives nationales du Québec et Bibliothèque et Archives Canada

Robitaille, Louise, 1948-
Trucs et remèdes de grands-mères de Madame Chasse-taches
Comprend des réf. bibliogr. et un index.

ISBN 978-2-89562-332-8
1. Conseils pratiques, recettes, trucs, etc. 2. Économie domestique -
Miscellanées. 3. Médecine populaire. 4. Produits domestiques. I. Titre.

TX160.R62 2010   640'.41   C2010-940144-1

Édition : Julie Simard
Révision linguistique : Nicole Henri
Correction d'épreuves : Dominique Issenhuth
Couverture : Marike Paradis
Mise en pages : Louise Durocher
Photo de l'auteure : Robert Etcheverry

Remerciements
Les Éditions Publistar reconnaissent l'aide financière du gouvernement du Canada par l'entremise du Programme d'aide au développement de l'industrie de l'édition (PADIÉ) pour leurs activités d'édition. Gouvernement du Québec – Programme de crédit d'impôt pour l'édition de livres – gestion SODEC.

Les Éditions Publistar
Groupe Librex inc.
Une compagnie de Quebecor Media
La Tourelle
1055, boul. René-Lévesque Est
Bureau 800
Montréal (Québec) H2L 4S5
Tél. : 514 849-5259
Téléc. : 514 849-1388
www.edpublistar.com

Dépôt légal – Bibliothèque et Archives nationales du Québec
et Bibliothèque et Archives Canada, 2010

ISBN : 978-2-89562-332-8

Distribution au Canada
Messageries ADP
2315, rue de la Province
Longueuil (Québec) J4G 1G4
Tél. : 450 640-1234
Sans frais : 1 800 771-3022
www.messageries-adp.com

Diffusion hors Canada
Interforum
Immeuble Paryseine
3, allée de la Seine
F-94854 Ivry-sur-Seine Cedex
Tél. : 33 (0)1 49 59 10 10
www.interforum.fr

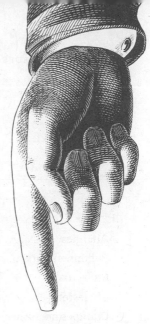

SOMMAIRE

INTRODUCTION

L'idée du livre que vous tenez entre les mains me vient de la passion que j'ai toujours nourrie pour les différents trucs de nos grands-mères.

C'est en observant au quotidien les gestes de mes deux grands-mères que j'ai enrichi mes souvenirs d'enfance. Il y avait la maison de ma grand-mère maternelle près de la rue Mont-Royal, à Montréal, avec ses bonnes odeurs dans la cuisine, les petites potions magiques pour soigner un rhume, une toux ou une blessure. Mes tantes célibataires se berçaient en rang d'oignon, hiver comme été, et me montraient à tricoter, à broder et à coudre. Je partage avec vous ces scènes colorées de la vie familiale, rangées dans un coin de ma mémoire.

À Boucherville, ma grand-mère Daignault, mère de nombreux enfants, faisait preuve de débrouillardise, et on pouvait compter sur elle pour trouver une solution à nos problèmes. Moi, l'aînée des petites-filles, c'est dans cette maison que j'ai connu les grandes fêtes réunissant toute la famille.

Tous ces souvenirs d'enfance ont servi à alimenter cette collecte de remèdes et de trucs de grands-mères que l'on trouve en abondance dans notre culture québécoise. En effet, ces connaissances font partie d'une riche culture orale, généralement échangée entre les femmes de la famille et entre amies.

Ce livre vous offre donc plusieurs souvenirs personnels, les nombreuses croyances qui animaient les anciens et, bien sûr, les meilleurs trucs répertoriés au fil des années.

Louise Daignault Robitaille

AVERTISSEMENT

Pour soigner les petits bobos au quotidien, nos grands-mères ne manquaient pas d'imagination. Au fil des ans, on a pu constater à maintes reprises l'efficacité des remèdes de grands-mères. Toutefois, ces trucs transmis de génération en génération ne remplacent pas un traitement médical.

Tous les trucs de ce livre demeurent des suggestions pour résoudre plusieurs types de problèmes. L'auteure et l'éditeur ne peuvent garantir le succès absolu de ces trucs et remèdes dans toutes les circonstances possibles et déclinent toute responsabilité quant aux dommages résultant de leur mise en application.

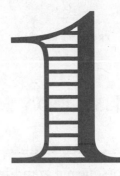

1

NETTOYER

Elle grignota un croûton de pain,
s'habilla, mit un tablier, se couvrit
la tête d'un mouchoir pour éviter que la
poussière ne collât à ses cheveux, regarda tout le
travail qu'elle avait à faire,
soupira puis se mit résolument à la tâche.

Arlette Cousture, *Les Filles de Caleb*

Toute une journée les poulies grincèrent sous le poids de la
corde où des pièces de linge pendaient. Vers le soir les femmes les
entrèrent à pleine brassée ; elles en avaient l'onglée. Une odeur
de propreté, de confort, s'épandit dans toute la maison et les
hommes prirent les précautions inusitées afin de ne rien salir.

Germaine Guèvremont, *Le Survenant*

LE FOYER

Ma grand-mère disait

Lorsque ma grand-mère préparait un feu dans le foyer en pierre de la maison, elle commençait par rouler de grandes feuilles de papier journal pour en faire des boudins qu'elle nouait en plein centre. Cette technique lui permettait d'allumer ses feux dans la cheminée et dans le poêle à bois. Prévoyante, elle préparait plusieurs de ces allume-feux et les conservait dans un panier d'osier déposé à proximité de l'âtre. Pour embaumer la maison, grand-maman plaçait dans la cheminée un bouquet d'herbes aromatiques séchées qu'elle avait cueilli dans le jardin à la fin de l'été.

Croyance populaire

La veille de Noël, on allait chercher une énorme bûche, qu'on appelait bûche de Noël, et c'était le rôle du père de la placer dans l'âtre en formulant une prière. Dans certaines familles très croyantes, on arrosait la bûche d'eau bénite ; dans d'autres, on y versait un peu de vin, du sel et de l'huile. Les cendres de cette bûche, qu'on conservait jusqu'au Noël suivant, avaient le pouvoir, au cours de la nouvelle année, de protéger la maison contre la foudre, les sorcières et le diable.

Des problèmes... des solutions

Pour retirer les cendres • Vaporisez-les avec un pulvérisateur rempli d'eau ou couvrez-les de marc de café ou de feuilles de thé. Vous éviterez ainsi de soulever la poussière. Les cendres peuvent être déposées dans un bac de compostage ou dans le jardin.

Prenez soin d'étaler des feuilles de papier journal autour du foyer pour protéger le sol.

Vous pouvez passer l'aspirateur dans l'âtre pour terminer le travail et retirer les cendres qui s'infiltrent entre les briques, dans les petites rainures.

Nettoyage du foyer • Nettoyez les taches de suie sur la brique avec une brosse rigide, de l'eau vinaigrée ou de l'eau additionnée de bicarbonate de soude.

Si les taches résistent, brossez-les avec 240 ml (1 tasse) de cristaux de soude dissous dans 4 litres (16 tasses) d'eau.

Si la cheminée en fonte montre des signes de rouille, frottez les taches avec de l'huile végétale. Laissez agir 48 heures avant d'utiliser le foyer.

Pour nettoyer les pierres noircies, utilisez une eau additionnée d'eau de Javel.

Les plaques de marbre se nettoient avec de l'eau tiède et un détergent doux.

Vitre noircie • La recette miraculeuse pour nettoyer la vitre couverte de suie d'un poêle à combustion lente est de la frotter avec un chiffon humide et de la cendre. Le nettoyeur à four s'avère efficace, mais il est très toxique. Dans les deux cas, on nettoie la vitre lorsqu'elle est refroidie.

Les p'tits trucs de Louise

Un époussetage régulier ou l'utilisation de l'aspirateur enlève la poussière normale couvrant les portes, grilles et accessoires. Pour éliminer toutes les petites poussières du grillage, utilisez une longue allumette et brûlez les petites poussières qui disparaîtront instantanément.

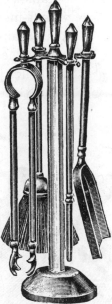

La pince et le tisonnier peuvent être lavés avec du savon à vaisselle dilué dans l'eau chaude. Rincez et asséchez complètement à l'aide d'un linge doux pour éviter la formation de taches de rouille.

LE MÉNAGE DU PRINTEMPS

Ma grand-mère disait

S'il y avait une période de l'année que mon grand-père détestait, c'était bien le début du printemps où ma grand-mère commençait « son grand ménage ». Pour ce rituel printanier, grand-maman mobilisait toute la famille avec sa liste de travaux, ce qui avait pour résultat de créer une tension dans la maison. Vêtue d'une vieille chemise, les cheveux retenus par un bandeau, elle était le portrait exact de la parfaite ménagère de cette époque.

À la mi-mai, ma grand-mère respirait en paix… la maison était propre et, comme elle le disait : « On pourrait manger sur le plancher. » Le lilas commençait à éclore et l'on savait qu'on n'entendrait plus parler de grand ménage avant le mois d'octobre.

Croyance populaire

Le fameux « ménage du printemps » n'était pas une lubie de nos grands-mères. Le chauffage au bois et au charbon durant les mois d'hiver salissait l'intérieur de la maison. Il était primordial de bien nettoyer les murs et les planchers « à grande eau » dès le retour des belles journées. Battre les tapis et les matelas au grand air permettait aux femmes de se défouler de ce surplus de travail annuel.

Il semble que l'expression « grand ménage du printemps » vienne de pratiques ancestrales : dans le milieu agricole, il fallait vider greniers et caves pour libérer l'espace pour les nouvelles récoltes. Le même esprit de nettoyage gagnait la maison. Ces petites victoires sur la poussière et la saleté procuraient une grande satisfaction du travail accompli.

Des problèmes... des solutions

Pour plusieurs, l'entretien de la maison constitue une tâche pénible et ingrate. On a toujours cherché à simplifier les travaux ménagers pour éviter tout surmenage.

Inspection • Chaque année, après l'hiver, une inspection minutieuse de l'intérieur et de l'extérieur de la maison s'impose. Ce tour de maison permet d'identifier les failles, les travaux majeurs à exécuter et de déterminer si vous devez avoir recours à des spécialistes.

Grand ménage d'une pièce de la maison • Nettoyez sur place tout ce que vous pourrez transporter dans une autre pièce.

Procédez ensuite aux travaux de peinture ou au lavage du plafond et des murs.

Vous pourrez replacer dans la pièce tous les meubles et les objets nettoyés.

Si vous changez votre décor en déplaçant des meubles et constatez que le tapis est aplati, déposez quelques cubes de glace sur les fibres écrasées. Après quelques heures, relevez ces dernières avec une fourchette. La vapeur du fer à repasser peut aussi remédier à ce problème. Dirigez-la vers les fibres du tapis, tout en tenant le fer à bonne distance pour ne pas les brûler.

Graisse sur les surfaces • Sur le réfrigérateur, la poussière et le gras ont tendance à former une pellicule difficile à déloger. Nettoyez la surface avec de l'eau chaude additionnée d'assouplisseur liquide (une part d'assouplisseur pour trois parts d'eau). Pour nettoyer les murs de la cuisine, on doit utiliser un produit dégraissant. Pour enlever les taches sur les murs entourant la cuisinière, on emploie du savon pour lave-vaisselle dilué dans un seau d'eau chaude. Les taches disparaissent rapidement.

Papier peint • Pour enlever le papier peint rapidement, voici une recette miracle. Mélangez deux parties d'eau chaude à une partie d'assouplissant liquide pour tissus. Versez le mélange dans une bouteille munie d'un vaporisateur pour bien détremper le papier peint. Laissez agir 20 minutes avant de retirer le papier peint avec un grattoir.

Lavage des vitres • Mélangez 175 ml (¾ tasse) de vinaigre dans 1 l (4 tasses) d'eau pour le lavage des vitres extérieures. Pour les vitres intérieures, généralement graisseuses, ajoutez quelques gouttes de savon à vaisselle liquide à 1 l d'eau chaude. Le papier journal roulé en tampon est excellent pour nettoyer les vitres et pour les sécher. Une bonne raclette facilite aussi le travail.

Nettoyant à tapis • Mélangez 60 ml (¼ tasse) de vinaigre, 60 ml (¼ tasse) de détergent à vaisselle liquide et 2 l (8 tasses) d'eau. Agitez bien la solution. Utilisez la mousse avec une brosse douce pour nettoyer les tapis.

Pour enlever la plupart des petites taches sur le tapis, il suffit de les brosser avec du Club Soda ou de les saupoudrer de sel humide. Il ne restera qu'à utiliser l'aspirateur pour enlever le sel séché.

Les p'tits trucs de Louise

Bien organiser son ménage du printemps, c'est se faciliter la vie. Voici ma version facile de ce ménage qu'on dit « obligatoire ».

Par où commencer ? Premièrement, il faut ramasser tout ce qui traîne dans la maison. Voilà le bon moment pour demander l'aide des membres de la famille.

Limitez vos pas en plaçant tous les produits, chiffons, éponges, feuilles antistatiques dans un panier que vous emportez de pièce en pièce.

Certains produits nettoient et agissent sur la saleté sans que vous ayez à frotter. Par exemple, vaporisez la cuvette de la toilette, la baignoire, le lavabo et laissez les produits travailler pour vous. Vous aurez ainsi le temps d'épousseter les chambres et quand vous reviendrez dans la salle de bains... le nettoyage sera facilité.

Murs • Si vous devez laver les murs, commencez par le bas et non par le haut ; vous éviterez ainsi la formation de coulures difficiles à nettoyer. Pour le lavage des plafonds, utilisez une grosse éponge qui nettoie sans laisser de marques. Il est préférable de laver les planchers à l'eau froide pour ne pas endommager le bois ou la céramique.

On fait disparaître les marques de crayon sur les murs avec du dentifrice ou de la laque pour les cheveux. Imbibez-en un chiffon et frottez délicatement pour ne pas délayer la peinture.

Planchers • Utilisez le moins d'eau possible pour ne pas détremper les planchers de bois, spécialement les planchers flottants. Une grande quantité d'eau endommagera le plancher de façon permanente. Utilisez un produit spécialement conçu pour les planchers ; évitez la laine d'acier, la poudre à récurer et la cire à plancher. Utilisez une vadrouille à peine humide pour le lavage et une deuxième vadrouille recouverte d'un grand chiffon sec pour essuyer. Vous éviterez ainsi les marques et les bariolages.

LES ODEURS

Ma grand-mère disait

Après avoir nettoyé une pièce de la maison, ma grand-mère disait toujours : « Ça sent le propre ! » avec un immense sourire qui exprimait bien sa satisfaction du travail accompli. Pour nous, les jeunes, il n'existait pas de plus grand plaisir, lorsqu'on ouvrait la porte d'entrée de la maison de grand-maman, que d'être accueillis par une odeur réconfortante de tarte aux pommes, de pain chaud, de biscuits ou de soupe au poulet qui mijotait sur la cuisinière. Ces petits moments... il faudrait les reproduire à notre tour, pour créer le cahier de souvenirs d'enfance de nos enfants.

Croyance populaire

Une toute petite bête... mais quelle odeur ! On a longtemps cru à tort que le jus de tomates était le produit miracle pour faire disparaître l'odeur intolérable de la mouffette sur la peau ou dans le pelage des

animaux. Le jus de tomates atténue l'odeur mais ne peut la faire disparaître complètement.

◄⋅✄ ÉLIMINER L'ODEUR DE MOUFFETTE ✄⋅►

- 1 litre (4 tasses) de peroxyde
- 50 ml (¼ tasse) de bicarbonate de soude (soda à pâte)
- 5 ml (1 c. à thé) de savon liquide à vaisselle
- 5 à 10 ml (1 à 2 c. à thé) d'essence de vanille

Vaporiser la surface à désodoriser, la peau ou le pelage de l'animal. Laisser agir de 20 à 30 minutes avant de laver l'animal avec un shampooing ou de nettoyer la surface nauséabonde avec un produit nettoyant.

Des problèmes... des solutions

Voici des produits populaires pour lutter contre les mauvaises odeurs et pour assainir l'air de la maison.

Une orange piquée de clous de girofle dans les penderies dégage un léger parfum et éloigne les mites.

Une bandelette de papier d'Arménie plié en accordéon et brûlé élimine les odeurs de cigarette et de friture.

L'encens équilibre l'énergie dans une pièce.

Les bougies parfumées et les diffuseurs d'huile essentielle créent une ambiance chaleureuse.

Quelques gouttes d'huile essentielle déposées sur les ampoules électriques, le soir, diffuseront un parfum agréable dans la pièce.

Quelques gouttes d'huile essentielle, d'un parfum préféré ou même d'une essence utilisée en cuisine versées sur le filtre de l'aspirateur libéreront une odeur légère pendant son utilisation.

Du bicarbonate de soude pourra être saupoudré sur les tapis avant de passer l'aspirateur.

Odeurs sur les mains • Le vinaigre élimine les odeurs de poisson, d'oignon ou d'eau de Javel sur les mains. Lavez-les ensuite à l'eau chaude.

Le jus de citron supprime l'odeur de peinture sur les mains.

Sources de mauvaises odeurs • Les rideaux, les tapis qui nécessitent un bon nettoyage.

Les plaques d'aération trop poussiéreuses à nettoyer avec l'aspirateur.

Les canalisations à nettoyer.

Les poubelles, qui doivent être vidées régulièrement.

Ça sent la vieille guenille ! • Si vos serviettes et débarbouillettes sont malodorantes... c'est tout simplement qu'elles n'ont pas séché adéquatement.

Attention à ne pas surcharger la sécheuse ou à ne pas laisser dormir votre linge. Une odeur d'humidité peut s'y installer et sera difficile à déloger.

Assurez-vous que les serviettes et les débarbouillettes sont bien sèches avant de les plier et de les ranger dans la lingerie. Elles peuvent répandre une odeur d'humidité peut s'y propagera à tout le linge rangé dans l'armoire.

Après utilisation d'une débarbouillette ou d'une serviette éponge, prenez quelques secondes pour bien les étendre sur une barre droite afin de les faire sécher avant de les glisser dans le panier à lessive. Si vous les laissez sécher en « tapon », elles dégageront une mauvaise odeur.

Un bouchon d'eau de Javel ajouté au lavage du blanc ou 125 ml (½ tasse) de vinaigre pour tout genre de tissu peuvent aussi éliminer les odeurs d'humidité sur les vêtements. L'eau de linge et la lavande sont des produits gagnants pour parfumer les tissus.

Dans la salle de bains, pour contrer les odeurs d'humidité, utilisez une eau additionnée d'eau de Javel pour nettoyer et désinfecter les murs et le contour de la baignoire, de la cuvette de la toilette et le plancher.

Quelques gouttes d'huile essentielle au citron sur une ouate dissimulée derrière un vase ou un accessoire dans la salle de bains dégageront une bonne odeur pendant une dizaine de jours.

Vous pouvez éliminer les odeurs de pipi de chat ou de chien sur un tapis, un divan ou un vêtement en préparant cette solution :

ÉLIMINER L'ODEUR DE PIPI DE CHAT/CHIEN

- 30 ml (2 c. à soupe) de bicarbonate de soude
- 30 ml (2 c. à soupe) de peroxyde
- 30 ml (2 c. à soupe) de savon à vaisselle liquide
- 375 à 500 ml (1 ½ à 2 tasses) d'eau tiède

Bien mélanger les ingrédients. Verser le produit dans une bouteille munie d'un vaporisateur. Vaporiser sur les endroits souillés. Attendre une dizaine de minutes avant de rincer avec de l'eau. Répéter le traitement au besoin.

Après un bon nettoyage, du bicarbonate de soude saupoudré sur les endroits souillés atténuera les odeurs. Laisser agir le bicarbonate de soude une dizaine d'heures avant de passer l'aspirateur.

PRÉPARER UNE POTION ODORANTE

Faire bouillir dans une casserole, à découvert, pendant une vingtaine de minutes, 500 ml (2 tasses) d'eau additionnée d'un de ces produits :

- quelques bâtons de cannelle ;
- 5 ml (1 c. à thé) de cannelle ;
- quelques clous de girofle et le zeste d'un citron ou d'une orange ;
- un mélange de cannelle et de muscade ;
- un mélange de vos épices préférées ;

• ou quelques cuillerées d'assouplisseur liquide.

Pour éliminer une odeur malodorante de la maison, il suffit de faire bouillir quelques tasses de vinaigre blanc pendant une quinzaine de minutes. Gardez un œil sur la casserole, car le vinaigre s'évapore très rapidement.

Pour désinfecter une pièce ou un article dégageant une mauvaise odeur, mélangez 60 ml (¼ tasse) de borax à 2 litres (8 tasses) d'eau chaude. Lavez et asséchez bien les surfaces.

Les p'tits trucs de Louise

La mijoteuse, mise en marche le matin avant de partir au travail, crée une odeur réconfortante dans la maison et met toute la famille de bonne humeur avant d'entamer le repas familial du soir.

Si une mauvaise odeur persiste dans la maison, rien ne sert de la masquer avec différents produits commerciaux. Il vous faudra en trouver la cause et probablement consulter un spécialiste.

L'ORDINAIRE DU MÉNAGE QUOTIDIEN

Ma grand-mère disait

Dès le réveil, ma grand-mère préparait la « soupane », ce gruau agrémenté de confiture ou de fruits que nous mangions tous les matins. Après le déjeuner, grand-maman nous pressait de quitter la cuisine, car elle voulait commencer « son ordinaire ». Cette drôle d'expression résumait une foule de petits gestes répétés jour après jour : alimenter le feu du poêle, vider le plat rempli d'eau sous la glacière, balayer les planchers, attendre le livreur de charbon, de glace, de lait et de pain, préparer les repas, laver la vaisselle. Les tâches routinières la tenaient occupée toute la journée, surtout si on y ajoutait les corvées. Par exemple, le lundi était consacré à la lessive, le mardi au repassage, le vendredi au grand ménage de la maison. Certains jours, elle pouvait s'accorder un moment de répit en cours d'après-midi pour lire un roman d'amour, broder nos taies d'oreiller au point de croix, tricoter pour les bébés de la famille ou tout simplement écouter de la musique sur le vieux gramophone.

Croyance populaire

La femme que l'on a qualifiée longtemps de ménagère avait tout à gagner à bien assumer ce rôle dans la société. Les livres religieux, les livres de cuisine, souvent édités par les compagnies d'assurance de l'époque, les revues et les journaux publiaient des conseils en tout genre pour aider la femme à soulager le budget familial, cuisiner, entretenir sa maison, pourvoir à l'éducation des enfants. On disait même que « la femme bâtit et démolit la maison » ! Lourde responsabilité sur les épaules de nos grands-mères.

Des problèmes... des solutions

Polir • Polir les meubles par temps sec les fera briller davantage. La cire pénétrera mieux dans le bois si vous laissez le contenant tremper quelques minutes dans l'eau chaude avant de l'utiliser.

Faire reluire • Pour faire reluire rapidement les carreaux de céramique, la baignoire, le miroir de la salle de bains, utiliser un produit nettoyant pour les vitres en vaporisateur ou un mélange d'eau et de vinaigre.

Cuvette de la toilette • Saupoudrer 15 ml (1 c. à soupe) de bicarbonate de soude dans la cuvette de la toilette et ajouter 250 ml (1 tasse) de vinaigre pour éliminer les taches et le calcaire.

Verser une canette de cola dans la cuvette et laisser reposer pendant une nuit entière pour un nettoyage rapide.

Les bactéries dans la cuisine • Le torchon, l'éponge que vous utilisez dans la cuisine regorgent de bactéries.

Désinfecter une éponge • La placer tous les jours dans un bol d'eau, au four à micro-ondes, jusqu'à ce que l'eau bouille. Laisser refroidir avant de retirer l'éponge.

Faire tremper l'éponge dans une eau chaude additionnée de quelques gouttes de javellisant.

La laver dans le lave-vaisselle.

Désinfecter le torchon • Utiliser un nouveau torchon tous les jours et faire tremper le sale dans une eau bouillante additionnée de quelques gouttes de javellisant pendant quelques minutes avant de le laver avec votre lessive.

Désinfecter les comptoirs et les planches à découper • Préparez le mélange suivant que vous conserverez dans une bouteille avec vaporisateur : 3 ml (½ c. à thé de javellisant dans 1 l [4 tasses]) d'eau. Vaporisez les comptoirs après les avoir nettoyés et laissez sécher à l'air. Rangez cette bouteille près de l'évier et utilisez ce produit après la préparation des repas.

Les plaques de cuisson • Ne jamais utiliser de tampon métallique, d'éponge abrasive ni de détergent en poudre. Au besoin, pour déloger une tache cuite, ayez recours à une lame de rasoir et frottez avec une crème nettoyante pour plaque de cuisson.

Une eau citronnée enlève les taches récalcitrantes.

Un chiffon imbibé de vinaigre de vin enlève les auréoles.

Le four • Pour nettoyer de la nourriture qui a débordé dans le four, humectez avec de l'eau les croûtes noircies, saupoudrez de sel et attendez quelques heures avant de frotter les taches, qui disparaîtront alors facilement.

Ménage rapide • Pour un ménage rapide, limitez votre temps dans chacune des pièces. Quinze minutes suffisent pour ramasser ce qui traîne, passer un coup de chiffon, enlever les taches apparentes, rafraîchir la pièce sans entreprendre un grand ménage.

Durant la semaine où votre horaire est plus chargé, limitez le temps consacré au ménage. Une pièce par jour... pas plus !

Comme vous profiterez du week-end pour cuisiner, vous nettoierez la cuisine à ce moment-là. Le salon et la salle de séjour peuvent aussi attendre jusqu'à la fin de semaine.

Demandez l'aide des enfants... ils deviendront plus attentifs à ne pas laisser tout traîner dans la maison et vous leur donnerez de bons trucs et de bonnes habitudes pour ranger leur futur environnement.

Tous les jours on doit laver le lavabo, la baignoire ou la douche dans la salle de bains.

Dans la cuisine, on nettoie les comptoirs, la table et l'évier.

On vide les poubelles de la salle de bains et de la cuisine.

Les p'tits trucs de Louise

On peut fabriquer son propre chiffon antistatique en trempant le linge dans une solution composée d'une partie d'assouplisseur liquide et trois parties d'eau. On utilise le linge humide ou sec pour l'époussetage. Extra pour empêcher la poussière de coller sur les meubles recouverts d'une vitre, le téléviseur, les stores en vinyle et en aluminium, le dessus du réfrigérateur !

Un époussetage rapide • Le plumeau est rapide, mais il soulève la poussière. Sur les meubles, un linge imbibé de glycérine capte et retient les saletés.

Glissez vos deux mains dans de vieux bas de laine. Voilà une méthode rapide pour enlever la poussière sur les meubles, les stores, les pales du ventilateur.

Un chamois humide facilite l'époussetage des meubles.

Pour l'époussetage des pièces, on commence toujours par le haut puisque la poussière retombe. Levez les yeux au plafond et enlevez les toiles d'araignées, les fils de poussière avec une vadrouille. Époussetez ensuite le plafonnier, le haut des meubles, les rebords de fenêtres, les meubles et les accessoires qui se trouvent au niveau des yeux. Terminez l'époussetage par les fauteuils et le sol.

LES PRODUITS CHAMPIONS

Ma grand-mère disait

Mon grand-père aimait bien se moquer de ma grand-mère et de son contenant de vinaigre qu'il qualifiait de « produit miracle ». Ma grand-mère se servait de vinaigre pour mille et un usages : nettoyer à peu près tout dans la maison, détartrer sa bouilloire, son fer à repasser, faire briller les vitres, enlever les taches, dégraisser les vêtements. Grand-papa a finalement reconnu les vertus du vinaigre et l'a employé à son tour pour éliminer les mauvaises herbes et les pucerons du jardin.

Croyance populaire

On a longtemps cru à une p'tite vache miraculeuse ! Les boîtes de bicarbonate de soude de la compagnie Cow Brand montraient la photo d'une vache Jersey de pure race, Lady Maud, gagnante de plusieurs concours. On qualifiait alors le bicarbonate de soude de « p'tite vache » ou « soda à pâte », traduction du terme anglais *baking soda*. Le bicarbonate de soude a traversé le temps et est reconnu comme un excellent produit pour nettoyer, désinfecter et désodoriser.

Des problèmes... des solutions

Le bicarbonate de soude • Saupoudré sur la surface à récurer, on le frotte avec une éponge ou un chiffon humide.

Excellent pour le nettoyage des éviers, des comptoirs de cuisine, des planches à découper, des boîtes à lunch, des casseroles, des moules à cuisson, de l'intérieur et de l'extérieur du réfrigérateur, des hottes, du dessus de la cuisinière et du four.

Le bicarbonate de soude rafraîchit la salle de bains, nettoie la baignoire, le carrelage, le rideau de douche, le lavabo, la robinetterie.

60 ml (4 c. à soupe) de bicarbonate de soude dans un litre (4 tasses) d'eau donnent une solution qui nettoie et désinfecte tous les accessoires de bébé : chaise haute, table à langer, lit, matelas, siège d'auto, parc, jouets plastifiés, poussette, biberons.

Le citron • L'acide citrique contenu dans le citron élimine les taches sur les vêtements, désodorise et nettoie une foule d'objets dans la maison.

Pour obtenir plus de jus, passez le citron quelques secondes dans un four à micro-ondes ou laissez-le tremper quelques minutes dans un bol rempli d'eau chaude.

Le citron redonne de la blancheur aux vêtements blancs.

Il enlève les taches grasses sur le suède ou le daim. Frottez les taches en effectuant des mouvements circulaires. Tamponnez ensuite avec un chiffon imbibé d'eau claire.

Le sel • Le sel a la propriété de fixer les couleurs des vêtements que l'on fait tremper une douzaine d'heures dans une eau froide très salée lors du premier lavage.

Un mélange de térébenthine et de sel fait reluire une baignoire en émail.

Jumelé au jus de citron, il enlève les taches de rouille sur la porcelaine et fait briller le cuivre et le laiton.

Les contenants de plastique devenus gluants avec les années se nettoient facilement si vous les laissez tremper toute une nuit dans de l'eau fortement salée.

Un œuf tombé sur le parquet se solidifiera au contact du sel saupoudré et sera facile à nettoyer.

Le vinaigre • Le vinaigre ne coûte presque rien. Il peut remplacer beaucoup de produits pour le ménage.

Partout dans la maison, dans votre lessive, pour nettoyer, blanchir et désinfecter, le vinaigre peut être substitué à l'eau de Javel.

Le vinaigre chaud dissout le calcaire. Excellent produit pour le nettoyage dans la salle de bains. Laissez agir quelques heures pour une pleine efficacité.

Les joints de carrelage se nettoient avec 60 ml (¼ tasse) de vinaigre additionnés d'une cuillerée de savon liquide à vaisselle.

Si votre chat a pris la vilaine habitude de faire ses griffes sur votre mobilier, vaporisez légèrement du vinaigre blanc aux endroits à protéger. L'odeur du vinaigre n'est pas appréciée par les chats.

On peut rafraîchir un pinceau dont les poils sont durcis en le faisant tremper dans du vinaigre blanc jusqu'à ce que tous les résidus de peinture soient dissous.

⌁ PRÉPARER SES SOLUTIONS DE NETTOYAGE ⌁

Nettoyeur tout usage
Mélanger 250 ml (1 tasse) de vinaigre blanc, 30 ml (2 c. à soupe) de bicarbonate de soude dans un litre d'eau chaude.

Nettoyeur à tapis
Mélanger 60 ml (¼ tasse) de vinaigre, 60 ml (¼ tasse) de détergent à vaisselle liquide à 2 litres (8 tasses) d'eau. Agiter la solution pour obtenir une mousse que vous appliquerez avec une brosse douce sur le tapis. Rincer ensuite à l'eau claire.

Les p'tits trucs de Louise

Vous connaissez maintenant mes quatre champions du nettoyage ! Certains produits que vous conservez dans votre réfrigérateur et votre garde-manger peuvent aussi connaître leur heure de gloire en vous dépannant dans la maison.

L'huile d'olive permet de polir adéquatement les meubles en bois.

Le ketchup nettoie bien le cuivre et le laiton. Laissez agir une dizaine de minutes.

Un demi-chou vert nettoiera un petit tapis que vous ne pouvez laver dans la machine. Frottez énergiquement et coupez une fine tranche du légume à mesure que le chou change de couleur.

Un chiffon imbibé de lait fait briller le feuillage de vos plantes d'intérieur.

La mie de pain enlève les traces de doigts sur les vieilles photographies.

Les brûleurs d'une cuisinière au gaz se nettoient bien avec du vinaigre de vin.

Les cernes blanchâtres laissés par une eau dure disparaissent si vous remplissez les verres d'eau chaude et y ajoutez des morceaux de pelure de pamplemousse. Laissez agir une nuit avant de laver les verres à nouveau dans une eau chaude savonneuse.

Si vous renversez de l'huile sur le plancher de la cuisine, saupoudrez de farine l'endroit glissant et en peu de temps elle absorbera l'huile. Vous n'aurez qu'à balayer les résidus pâteux et à laver le sol avec une eau chaude savonneuse.

LE SAVON DE PAYS

Ma grand-mère disait

Ma grand-mère fabriquait son savon de pays et nous en faisait découvrir toutes les vertus puisqu'il servait aussi bien à notre toilette qu'à nettoyer les vêtements. Durant l'hiver, elle conservait dans un grand pot de verre le gras fondu provenant de la cuisson des viandes, spécialement le bœuf, le bacon et l'agneau, et du suif que lui donnait le boucher. Elle connaissait une vieille recette qui ne requiert pas de cuisson et qui s'avérait plus simple que les recettes traditionnelles de savon de pays.

⋆⋅❈ SAVON DE MA GRAND-MÈRE ❈⋅⋆

Faire fondre 1,8 kg (4 lb) de gras et le filtrer.

Dissoudre 454 gr (1 lb) de soude caustique dans 1 l (4 tasses) d'eau froide.

Chauffer le gras légèrement afin qu'il soit à la température de la main ou à la température de la pièce.

Déposer le récipient contenant la solution de soude dans un bol d'eau chaude afin qu'elle atteigne la même température que le gras. Cette mesure est des plus importantes ; il serait donc préférable d'utiliser un thermomètre pour vérifier la température des liquides.

Verser lentement la solution de soude tiède dans le gras tiède et remuer sans arrêt jusqu'à ce que le mélange épaississe et prenne la consistance d'un miel crémeux.

Ma grand-mère couvrait le fond d'une ancienne boîte en bois qu'elle appelait sa « boîte à beurre » avec un vieux morceau de drap recyclé. Elle versait ensuite la solution dans ce moule improvisé et laissait durcir le savon à la température de la pièce pendant 2 à 3 jours. En tirant sur le linge, grand-maman démoulait facilement ce bloc de savon qu'elle coupait ensuite en pains qu'on remisait pendant 4 à 5 semaines avant de les utiliser.

Croyance populaire

Nos aïeules savaient tirer profit de tous les restants et rien ne se perdait. Par exemple, les lavandières récupéraient la cendre du four à pain pour laver et blanchir les draps. Dans une grande cuve munie d'une bonde, on étageait les draps saupoudrés de cendre, on couvrait le tout d'eau bouillante et on laissait reposer quelques heures. L'eau s'écoulait lentement par la bonde. Les draps étaient ensuite rincés dans la rivière et étalés sur l'herbe ou suspendus à des cordes à linge pour sécher. Les cendres sont à l'origine de la fabrication des savons qui furent ensuite employés pour la lessive.

Des problèmes... des solutions

Le nettoyage des vêtements a été facilité dès qu'on a pu constater qu'il fallait utiliser un autre corps gras pour dissoudre les taches. Les procédés de fabrication diffèrent d'un pays à l'autre, mais certains savons atteignent une renommée mondiale. Malgré la venue des détergents, les savons artisanaux conservent leur efficacité... et leur beauté.

Le savon de Marseille • On note la présence de petits ateliers sur la côte méditerranéenne vers 1228. Dès le XVIIe siècle, le savon de Marseille acquiert une renommée qui se perpétue encore aujourd'hui.

On reconnaît ce cube blond légendaire à son odeur subtile et à la mention moulée sur une des faces du cube : 72 % extra pur – huile. On trouve le savon dans les boutiques provençales du Québec.

Dans les pharmacies, on peut se procurer une savonnette de Marseille qu'on reconnaît à son emballage jaune. Ce savon est très doux pour la peau, mais son efficacité sur les taches est moindre que celle du savon de pays ou de l'authentique savon de Marseille.

Le savon Barsalou • L'entreprise montréalaise Barsalou, fondée vers 1875, produisait un excellent savon à lessive. Cette manufacture des plus modernes fabriquait 6 000 livres (2 721 kg) de savon en une heure et demie. Une tête de cheval était reproduite sur l'emballage et on le nommait savon Imperial. Tout comme le légendaire savon de Marseille reconnu partout en France, le pain de savon Barsalou à multiples usages était présent dans toutes les maisons du Québec.

Le savon de pays • On peut acheter un savon de pays dans les savonneries artisanales du Québec. Sa composition diffère des recettes traditionnelles de nos grands-mères puisqu'on a remplacé le gras animal par des gras végétaux et de la glycérine. Ce savon est tout aussi efficace pour enlever les taches sur les vêtements.

Les p'tits trucs de Louise

Le haut taux de gras du savon de pays permet d'enlever les taches sur les tissus.

On frotte les taches avec un pain de savon à peine humide. On laisse agir une trentaine de minutes avant de laver le vêtement taché avec la lessive habituelle. Cette technique est particulièrement efficace pour enlever les taches de graisse, de beurre, d'huile, de vinaigrette ou d'herbe sur les vêtements.

Voici une recette familiale provenant de la région du Lac-Saint-Jean, que m'a transmise une grand-maman qui fabriquait son savon depuis plus de cinquante ans.

◄•✂ FABRIQUER SON SAVON ✂•►

- 1 récipient émaillé ou 1 chaudron de granit de 5 ou 6 litres (20 à 24 tasses)
- 1 récipient de 4 litres (16 tasses) ou 1 cruche en verre
- 1 thermomètre
- 1 cuillère de bois
- 1 moule de plastique ou 1 boîte de bois non verni (environ 30 cm x 30 cm ou 12 po x 12 po)
- 2,3 kg (5 lb) de graisse de cuisine ou 1,8 kg (4 lb) de graisse clarifiée
- 1 boîte de 325 ml (1 ⅓ tasse) de lessive (soude caustique)
- 3 litres (12 tasses) d'eau froide

Versez l'eau froide dans la cruche, puis ajoutez lentement la lessive. Remuez doucement pour bien faire fondre les cristaux.

Attention, la solution deviendra très chaude ! Laissez-la refroidir légèrement.

Dans une casserole de granit, faites fondre le gras épuré, soit 1,8 kg (4 lb), et vérifiez la température régulièrement. Pour former le savon, vous devez conserver la lessive à 27 °C (80,6 °F), alors que la graisse doit atteindre 49 °C (120,2 °F). Vous ne devez dépasser aucune de ces températures, sinon la réussite est compromise.

Lorsque le mélange de lessive a atteint 27 °C (80,6 °F), versez-le lentement et très délicatement dans la graisse en remuant sans arrêt quelques minutes avec la cuillère de bois. Au bout de 10 minutes, la magie opère : le mélange tourne et prend l'apparence d'une soupe aux pois épaisse. Très lentement, il épaissit et devient peu à peu du savon.

Le phénomène se poursuit jusqu'au refroidissement complet.

Vous pouvez verser le mélange dans des moules déjà préparés. Entourez et couvrez les moules de papier journal afin de conserver la chaleur le plus longtemps possible. Il faut laisser s'écouler de 24 à 48 heures avant de tailler en pains.

Faites sécher les pains à l'air une quinzaine de jours avant de les utiliser.

Comment clarifier les graisses ? • Conservez au réfrigérateur les graisses (dessus de bouillon, gras de bacon et de rôti). Mettez-les dans une grande marmite remplie d'eau et faites chauffer. Dès l'ébullition, enlevez la casserole du feu et laissez refroidir afin que la graisse se fige au-dessus de l'eau.

Retirez le gras ou percez simplement un trou de chaque côté de la graisse solidifiée pour laisser l'eau s'écouler. Vous devez recommencer trois fois cette opération jusqu'à ce que la graisse soit épurée.

Ôtez les résidus qui collent sous le gras. La qualité et la couleur du savon dépendront de la pureté de la graisse.

Les p'tits trucs de Louise

Prudence avec la soude caustique • Il n'est pas toujours facile de se procurer de la soude caustique pour confectionner son savon. Dans les boutiques spécialisées, demandez où l'on fabrique un savon artisanal, vérifiez dans les savonneries et consultez les sites en ligne. Vos recherches seront ainsi facilitées.

S'il s'agit de votre première expérience, il faudra user de prudence avec la soude caustique reconnue pour être extrêmement corrosive. Portez des gants, un vêtement à manches longues pour éviter des éclaboussures sur la peau. Portez des verres protecteurs. Le masque n'est pas obligatoire, mais il peut vous protéger des vapeurs.

Couvrez le sol et le comptoir avec du papier journal. Le mélange de l'eau et de la soude caustique devrait se faire dans un grand évier ou une cuve pour éviter tout accident.

LES TACHES DIFFICILES

Ma grand-mère disait

Ma grand-mère, très pratique, portait toujours un tablier et elle nous en faisait aussi revêtir un avant de l'aider dans la cuisine ou pour les travaux dans la maison. La seule journée où ses grands tabliers restaient suspendus derrière la porte de la cuisine était le dimanche. Elle choisissait alors dans un tiroir du vaisselier un petit tablier de fantaisie qu'elle nouait à sa taille pour protéger « sa robe propre du dimanche ». Je conserve encore dans ma lingerie quelques-uns de ces petits tabliers que toutes les femmes de l'époque prenaient plaisir à coudre, à broder et à décorer avec originalité.

Croyance populaire

On aurait tendance à croire qu'un vêtement taché est définitive-ment fichu ! Selon mon expérience, il existe presque toujours un truc pour déloger les taches. Le secret : agir rapidement et ne pas faire cuire la tache dans la sécheuse. Elle serait alors beaucoup plus difficile à enlever.

Des problèmes... des solutions

Si vous ne connaissez pas l'origine d'une tache, tamponnez-la avec de l'eau froide avant d'employer quelque produit que ce soit. Après un lavage avec un bon détersif, les taches seront probablement atténuées ou auront complètement disparu.

Tissu blanc • Sur un tissu blanc, on utilise de l'eau de Javel ou de l'eau oxygénée pour frotter la tache.

Tissu coloré • Sur un tissu coloré, on frotte la tache avec un produit détachant, de la térébenthine ou du savon liquide à vaisselle.

Une foule de produits disponibles à la maison peuvent vous dépanner pour éliminer les taches sur les vêtements.

Goudron • La glycérine peut amollir et atténuer les taches de goudron. Elle dissout aussi les taches de rouge à lèvres. Laver ensuite la partie du tissu tachée avec du savon à vaisselle liquide.

Suie • La suie est difficile à faire disparaître. On doit saupoudrer du talc sur les taches et brosser énergiquement avant de mouiller et de laver le vêtement.

Colle blanche • Le vinaigre chaud amollit les taches de colle blanche.

Rouge à lèvres • Une bande de ruban adhésif enlève les traces de rouge à lèvres fraîches sur un vêtement. Bien recouvrir la tache et tirer rapidement le ruban.

Brûlure de cigarette • Sur un vêtement blanc, on élimine une tache de brûlure de cigarette en la frottant avec un chiffon imbibé d'eau oxygénée à 20 volumes. On passe ensuite un fer chaud sur la tache recouverte de papier absorbant. On peut par la suite ajouter de l'eau de Javel dans l'eau tiède savonneuse au moment de la lessive pour faire disparaître la tache complètement.

Crayon fluo • Le lait fera pâlir les taches de crayon fluo sur le tissu. Laissez tremper quelques heures avant de brosser et de laver le vêtement.

Vernis à ongles et liquide correcteur • On enlève les taches de vernis à ongles et de correcteur blanc avec de l'acétone pure, en vente dans les pharmacies. Faire un test au préalable sur une partie non visible du tissu.

Maquillage • Le lait démaquillant ou un pain de savon humide font disparaître les taches de maquillage sur les vêtements. Il suffit d'imbiber la tache, de frotter et de rincer.

Tomate • On tamponne les taches de tomate avec un chiffon imbibé de lait ou de jus de citron avant de laver le vêtement.

Lait régurgité • Le jus de citron fait disparaître l'odeur et les taches jaunâtres du lait régurgité par les nouveau-nés. Presser un citron sur la tache et laisser sécher au soleil avant de laver le vêtement.

Vin rouge • Le vin blanc ou le Club Soda font disparaître les taches de vin rouge. Il suffit d'en verser une petite quantité sur les taches rougeâtres.

Transpiration • On imbibe de vinaigre chaud les auréoles jaunâtres causées par la transpiration sur les vêtements blancs.

Dentifrice • Le vinaigre enlève aussi les taches de dentifrice.

Cernes autour du col • Un shampooing pour cheveux gras peut les faire disparaître.

Une pâte composée à parts égales de bicarbonate de soude et de vinaigre blanc est aussi efficace.

Du savon de Marseille ou du savon du pays frotté à sec effaceront les vilains cernes grisâtres.

Dans tous les cas, utilisez une vieille brosse à dents pour frotter le tissu et laissez agir une dizaine de minutes avant de mettre le vêtement dans la machine à laver.

Taches sur un vêtement de soie • Ce tissu délicat demande des précautions particulières tant pour l'entretien que pour le détachage. Il ne faut jamais utiliser d'eau de Javel sur la soie : vous la verriez fondre ! Après le lavage, évitez de tordre le vêtement afin de ne pas casser les fils fragiles du tissage.

Voici comment faire disparaître différents types de taches sur de la soie.

Café : frottez la tache avec un mélange d'eau froide et d'alcool à friction. Si la soie est multicolore, utilisez seulement de l'eau froide, car l'alcool pourrait faire déteindre les couleurs.

Chocolat : n'utilisez jamais d'eau chaude. Frottez la tache avec de l'eau à peine tiède.

Jus et petits fruits : tamponnez la tache avec de l'eau additionnée de vinaigre blanc. Rincez ensuite à l'eau claire.

Gras, huile, vinaigrette : saupoudrez la tache de talc ou de poudre pour bébé. Placez ensuite une feuille de papier de soie sous la tache, une autre par-dessus, et repassez avec un fer à température moyenne.

Herbe : l'eau vinaigrée demeure le meilleur détachant.

Rouille : humectez la tache avec de l'eau additionnée de jus de citron. Faites sécher au soleil.

Sang : faites dissoudre un comprimé d'aspirine dans une petite quantité d'eau additionnée de quelques gouttes d'alcool à friction. Frottez la tache avec cette solution.

Vin rouge : mélangez une part de peroxyde à six parts d'eau. Tamponnez la tache avec cette solution. Le Club Soda fait aussi disparaître les taches de vin sur la soie.

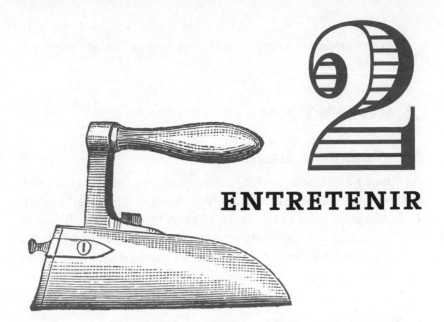

2

ENTRETENIR

Il s'agit d'avoir deux fers en train. Celui qu'on passe et repasse sur le linge humide et l'autre de rechange qui chauffe sur le poêle à bois. Prendre la température du fer en l'approchant de sa joue doucement. Ainsi faisaient sa mère et sa grand-mère. La longue lignée des gestes de femme à Griffin Creek...

Anne Hébert, *Les Fous de Bassan*

Quand sa lessiveuse s'était brisée, inondant la cuisine, Pauline avait menacé de remettre en marche son vieux moulin à laver qui, du moins, ne lui jouerait plus de ces sales tours.

Noël Audet, *L'Ombre de l'épervier*

ARGENTERIE

Ma grand-mère disait

À l'approche du temps des Fêtes, ma grand-mère nettoyait ses couverts en argent avec l'eau de pommes de terre. Elle faisait bouillir des pelures de pommes de terre, laissait refroidir l'eau filtrée et y plongeait l'argenterie pour une nuit entière. Le matin, il ne lui restait plus qu'à laver, sécher et polir les pièces d'argenterie avec une peau de chamois.

Croyance populaire

Les Anciens connaissaient une recette pour conserver l'argenterie brillante. Ils calcinaient à feu vif des écailles d'huîtres dans un vase de fer pour ensuite les broyer et les réduire en poudre aussi fine que possible. Un peu de cette poudre sur un linge mouillé nettoyait les pièces en argent qu'on essuyait avec une peau de chamois.

Des problèmes... des solutions

Frotter l'argenterie avec la solution suivante : 15 ml (1 c. à soupe) de vinaigre dilué dans 1 verre de lait chaud. Polir ensuite avec un linge doux.

Taches • Enlever les taches avec un chiffon humide et de la cendre de cigarette.

Taches de rouille • Enlever les taches de rouille avec de l'essence de térébenthine.

Vert-de-gris • Les taches de vert-de-gris et les taches noires s'enlèvent avec du vinaigre chaud.

Bijoux • Frotter un bijou en argent avec une pâte dentifrice.

Éclat • Faire tremper l'argenterie dans l'eau tiède des pâtes alimentaires pour lui redonner son éclat.

Frotter l'argenterie avec une demi-pomme de terre enduite de bicarbonate de soude lui redonne aussi son éclat.

Noircissement • Déposer dans le vaisselier un bâton de craie, un morceau de charbon de bois ou une petite boule de camphre.

Conserver l'argenterie à l'abri de la lumière. Au besoin, la recouvrir d'une flanelle, d'une pellicule plastique ou de papier de soie foncé.

Après chaque utilisation, retirer le sel d'une salière argentée pour éviter le vert-de-gris.

ÉLIMINER LES TRACES D'OXYDATION

Déposer dans une grande casserole une feuille de papier d'aluminium. Remplir d'eau chaude. Ajouter 5 ml (1 c. à thé) de sel et 5 ml (1 c. à thé) de bicarbonate de soude. Amener cette solution à ébullition et y tremper l'argenterie qui retrouvera une belle apparence. Le papier d'aluminium absorbera les traces d'oxydation. Il est important de bien rincer les pièces au fur et à mesure que vous les retirez de l'eau.

Les p'tits trucs de Louise

Je lave régulièrement les ustensiles de ma coutellerie en argent dans le lave-vaisselle, mais je prends garde à ne pas les mélanger avec de l'inox ou un autre métal. Il est possible que des taches d'eau apparaissent sur la lame des couteaux. Une eau tiède additionnée de vinaigre les fait disparaître en quelques secondes. Occasionnellement, j'aime bien polir mon argenterie avec un produit commercial pour lui rendre toute sa brillance. Pour atteindre les ciselures difficiles à nettoyer, j'utilise une brosse à dents.

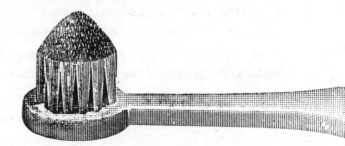

Casseroles

Ma grand-mère disait

Lorsque ma grand-mère oubliait une casserole sur la cuisinière, elle essayait toujours de récupérer le contenu en le transférant dans une deuxième marmite sans gratter le fond. Elle ajoutait deux à trois gouttes de sauce Tabasco ou des piments forts pour assaisonner le plat. À sa plus grande satisfaction, le goût de brûlé était camouflé.

Grand-maman couvrait ensuite le fond de la casserole brûlée de cendre de bois, y versait de l'eau chaude et faisait bouillir ce mélange quelques minutes avant de gratter les aliments collés avec une vieille spatule.

Croyance populaire

Il fut un temps où on trouvait un grand chaudron de fer dans toutes les maisons du Québec. Pour le nettoyer, on y faisait bouillir de l'eau avec quelques oignons. On rinçait et on amenait à ébullition une deuxième eau pour bien le désinfecter puisqu'il servait autant à la préparation de la soupe qu'à la lessive.

Aujourd'hui, la grande marmite de fer est souvent associée aux sorcières qui y préparaient des potions maléfiques.

Des problèmes... des solutions

Dépôts calcaires • Les dépôts calcaires disparaissent si vous faites bouillir pendant une heure de l'eau où trempent des pelures de pommes de terre. Rincez ensuite sous l'eau froide.

Odeurs tenaces • Pour éliminer une odeur tenace dans un poêlon ou une casserole, frottez l'intérieur avec des feuilles de menthe fraîche.

On enlève l'odeur de poisson dans une casserole ou un poêlon en frottant énergiquement avec du marc de café.

Noircissement • Si les casseroles ont pris à l'usage une teinte foncée, attribuable à la chaleur, ou si elles ont noirci au contact d'un feu de bois, un bain dans une solution de borax et d'eau leur redonnera bonne mine.

Crêpes • Pour une cuisson adéquate des crêpes, il serait bon de réserver une poêle uniquement à cet usage. Le nettoyage en sera simplifié puisque vous n'aurez qu'à la frotter avec un chiffon sec.

Caquelon à fondue • Dans le caquelon à fondue au fromage, il se forme une croûte, qu'on appelle « la religieuse ». Surtout, ne privez pas vos invités de cette gourmandise. Décollez-la à l'aide d'une spatule, coupez-la en morceaux et partagez-la entre les convives. Le nettoyage du poêlon peut attendre !

Les fonds brûlés

Les casseroles d'aluminium • Verser de l'eau dans la casserole, ajouter 3 à 4 gouttes d'eau de Javel puis amener à ébullition. On peut aussi couvrir de sel le fond de la marmite, et le laisser agir deux heures avant de nettoyer.

L'acier inoxydable • Couvrir le fond de la casserole de savon pour lave-vaisselle ou réduire en poudre une pastille de savon, ajouter de l'eau chaude. Amener à ébullition et laisser le produit agir une nuit avant de récurer le chaudron. Il ne faut jamais utiliser d'eau de Javel avec l'inox.

L'émail • Verser dans la marmite de l'eau additionnée de 5 ml (1 c. à thé) d'eau de Javel. Porter ce mélange à ébullition quelques minutes. Les aliments collés se détacheront rapidement. Pour redonner le lustre initial au revêtement émaillé, plonger la casserole dans une infusion de thé.

Les poêles antiadhésives • Encore une fois, l'eau additionnée de quelques gouttes d'eau javellisée s'avère miraculeuse. Il suffit de faire bouillir quelques minutes.

Les poêlons antiadhésifs • Après utilisation, le meilleur truc pour prolonger la vie de ces poêlons est de les rincer sous l'eau chaude, sans détergent et de les essuyer avant de les ranger. Il n'est pas recommandé de cuisiner avec un poêlon dont le revêtement anti-adhésif est rayé ou altéré.

Si le revêtement est taché, ne pas utiliser de tampon abrasif. Couvrir d'eau le fond du poêlon et ajouter 2 à 3 gouttes d'eau de Javel.

Marmite en fonte • Elle se nettoie rapidement avec une éponge, de l'eau chaude et très peu de détergent. On l'essuie complètement avant de la ranger afin qu'elle ne rouille pas. Si le fond est incrusté, on le couvre d'eau chaude additionnée de bicarbonate de soude et on laisse reposer quelques heures. Pour éliminer les taches de rouille, on frotte la casserole avec un papier absorbant imbibé d'huile végétale.

Détachants passe-partout • Le bicarbonate de soude ajouté à du savon à vaisselle liquide est excellent pour récurer toutes les casseroles, sauf celles en aluminium. Couvrir d'eau le fond de la casserole et faire bouillir jusqu'à ce que la nourriture se détache.

Une eau chaude additionnée d'une pincée de cristaux de soude permet de décoller les aliments brûlés dans la plupart des casseroles.

Le vinaigre se révèle un détachant efficace pour une casserole noircie. Couvrez-en le fond et attendez une douzaine d'heures ; la croûte carbonisée se détachera facilement.

Les p'tits trucs de Louise

La friteuse • Comme la friteuse électrique conserve le bain d'huile à l'abri de la lumière et des poussières, il est possible d'y laisser l'huile quelques semaines. Généralement, on doit changer l'huile toutes les 10 fritures. N'ajoutez pas d'huile neuve à une huile usée. Videz la friteuse et versez l'huile dans une bouteille que vous mettrez à la poubelle. Ne jetez pas l'huile usée dans le renvoi de l'évier ; vous protégerez ainsi vos tuyaux et l'environnement.

Les traces jaunâtres sur le pourtour de la friteuse disparaissent si on les frotte avec du bicarbonate de soude et du vinaigre blanc. Bien rincer la friteuse avant d'y ajouter la nouvelle huile.

La mijoteuse • Généralement, le nettoyage de ces cocottes est très simple. Les aliments qui y mijotent adhèrent modérément aux parois. La plupart des casseroles se nettoient au lave-vaisselle. Si des aliments ont collé, saupoudrez le fond de la casserole avec du savon pour lave-vaisselle. Couvrez d'une petite quantité d'eau chaude. Laissez reposer une heure ou deux avant de rincer.

Nettoyez l'extérieur de la cocotte après chaque usage avec un chiffon imbibé d'eau chaude et de savon à vaisselle liquide.

LE COFFRE DES ESPOIRS

Ma grand-mère disait

Dans la maison de ma grand-mère, il y avait trois coffres des espoirs qui contenaient de belles nappes, des broderies, des tricots flambant neufs. Mes trois tantes, qui avaient atteint la trentaine à la fin de la Deuxième Guerre mondiale, espéraient toujours un prétendant. Elles avaient vu leurs jeunes sœurs se marier, quitter la maison et, comme elles disaient, « elles étaient restées sur la tablette ».

Fréquemment, le dimanche après-midi, l'une ou l'autre ouvrait son coffre pour nous faire admirer le linge de maison brodé, les courtepointes, les linges à vaisselle tissés et les vêtements de bébé tricotés. Plusieurs années plus tard, elles se sont départies de ces petites merveilles, les distribuant aux petits enfants qui avaient vieilli et qui, à leur tour, rêvaient au mariage. Quelques-unes de ces pièces sont rangées dans ma lingerie et conservées précieusement en souvenir de ces artisanes aux doigts de fée.

Croyance populaire

Dès l'adolescence, la jeune fille commençait à préparer son trousseau de mariage et rangeait tous ses trésors dans son coffre. Il ne restait qu'à trouver le futur marié ! De nombreuses croyances avaient trait à la connaissance de l'avenir.

Par exemple, il était possible de voir le visage du futur dans ses rêves si on plaçait un miroir sous son oreiller avant de s'endormir. Ou encore, après avoir assisté à un mariage, on rapportait à la maison un petit morceau du gâteau de noces qu'on avait passé dans le jonc de la mariée. Ce gâteau déposé sous l'oreiller permettait de rêver à son futur mari.

Le coffre en cèdre a remplacé le coffre des espoirs qui était alors fabriqué par les hommes et remis à la fiancée pour qu'elle y range son trousseau. On dressait une liste pour guider la future mariée dans ses achats ou la fabrication du linge de maison. Par exemple, dans les années cinquante, on recommandait à la fiancée de posséder trois paires de draps par lit, six serviettes (4 petites et 2 de bain) et trois débarbouillettes par personne, une douzaine de linges à vaisselle, une douzaine d'essuie-verres, des essuie-mains, deux nappes, dont une plus élégante, deux ensembles de napperons et des linges à épousseter.

Des problèmes... des solutions

Une lingerie organisée • Pensez pratique ! Sur les tablettes à portée de main, on doit trouver la literie, les serviettes et les débarbouillettes souvent utilisées. Les tablettes du haut sont réservées aux couvertures, aux objets plus volumineux et au linge de maison ancien que vous n'avez pas à manipuler fréquemment.

Les p'tits trucs de Louise

Les soldes du mois de janvier, qu'on appelle « les ventes de blanc », permettent de réaliser de bonnes économics à l'achat du linge de maison. C'est le temps de garnir la lingerie du nouvel appartement qui sera partagé entre amoureux, bien avant le mariage !

Si vous possédez du linge de maison, nappes, napperons hérités des ancêtres, prenez soin de les garder à l'abri de la lumière en les emballant dans un papier de soie bleu, réputé protéger les tissus contre le jaunissement.

DENTELLES

Ma grand-mère disait

Quand grand-maman voulait s'accorder un moment de détente, elle s'assoyait dans son fauteuil préféré, posait sur ses genoux un petit coussin qu'elle appelait son carreau et entrecroisait de nombreux fuseaux. Grand-maman nous fabriquait des cols, des manchettes, des mouchoirs en dentelle et des napperons et rideaux garnis de frivolité qui embellissaient ses meubles et ses fenêtres.

Croyance populaire

On ne commence jamais une dentelle le vendredi. Il vaut mieux se coucher très tard et entreprendre le travail le jeudi soir pour s'assurer la réussite de cette œuvre d'art.

Il a toujours été de bon ton de porter un mouchoir en dentelle. D'ailleurs, à une époque, on affirmait qu'une femme qui se contentait de mouchoirs bon marché ne pourrait jamais se payer de petits luxes au cours de sa vie.

Des problèmes... des solutions

Dentelles noires • On plonge les dentelles noires dans un bain de café noir sucré, de thé ou de bière. Elles en ressortent propres et empesées.

Dentelles blanches • Les dentelles retrouveront toute leur blancheur après avoir trempé dans une solution d'eau et de bicarbonate de soude. Un mélange de borax et d'eau est recommandé pour faire disparaître les taches rebelles.

Taches de rouille • Les dentelles peuvent être tachées de rouille lorsqu'elles sont en contact avec du métal. Pour éliminer ces taches, imbibez de jus de citron la dentelle tachée et tendez-la au-dessus de la vapeur d'une bouilloire. Répétez cette opération à quelques reprises et les taches disparaîtront.

On pourrait aussi saupoudrer les taches de sel, les mouiller de jus de citron et les étendre au soleil.

Si les dentelles présentent plusieurs petits points qui ressemblent à des taches de rouille de la grosseur d'une tête d'épingle, il y a peu d'espoir de voir disparaître ces taches. Elles sont dues à un parasite qui attaque les dentelles qui ont été pliées, rangées dans un endroit humide et non entretenues pendant plusieurs années.

ENLEVER LES TACHES DE GRAISSE

Une vieille recette recommande de baigner une dentelle tachée de graisse dans de l'huile d'olive pendant une douzaine d'heures. Après ce bain, la laver avec un savon doux dans une eau très chaude et bien la rincer.

TEINTURE MAISON

Pour vieillir une dentelle, versez une solution, plus ou moins forte, de thé ou de café : vous obtiendrez une belle couleur écrue. Le thé apporte une touche de rosé à la coloration. Une pincée de safran ajoutée à l'eau de rinçage ou une décoction de pelures d'oignon confèrent à la dentelle blanche un beau jaune ensoleillé.

Les p'tits trucs de Louise

On lave les dentelles anciennes à la main avec un savon à la glycérine. Pour celles de petites dimensions, remplissez un bocal d'eau savonneuse. Après y avoir déposé la dentelle, agitez-le. Pour un napperon, on peut le rouler autour d'une bouteille de verre (par exemple une bouteille de vin) et le glisser ainsi dans le bain d'eau savonneuse.

On ne tord jamais une dentelle; on la roule dans une serviette éponge. On lui redonne forme. La dentelle peut sécher à plat au soleil.

L'EAU DE LINGE

Ma grand-mère disait

Au côté de la tonnelle, dans le jardin, ma grand-mère déposait un petit baril qui se remplissait, au fil des jours, d'eau de pluie. Elle jetait dans cette eau les pétales de cinq ou six roses, ajoutait quelques gouttes d'alcool à friction et filtrait le tout après trois ou quatre jours. Cette eau de linge était ajoutée lors du rinçage des vêtements ou était utilisée au moment du repassage.

Croyance populaire

Il fut une époque, pas si lointaine, où les gens, et même les rois, ne se lavaient pas. On tentait de masquer les odeurs avec des eaux parfumées utilisées sur les vêtements, les perruques et la peau. Souvent, on ajoutait à ces eaux du vinaigre blanc, qui possède un pouvoir désinfectant.

Des problèmes... des solutions

Verser quelques gouttes d'eau de Cologne ou d'un parfum préféré dans l'eau de rinçage des sous-vêtements.

Ajouter quelques gouttes d'eau de Cologne à la lavande à une petite quantité d'eau. Vaporiser sur les vêtements avant de les repasser.

Ajouter une petite quantité d'assouplisseur liquide à l'eau qui servira à vaporiser les vêtements lors du repassage. Bien agiter la bouteille avant de vaporiser les vêtements afin de ne pas les tacher.

Pour parfumer la lingerie, on a longtemps utilisé une orange piquée de clous de girofle qu'on suspendait dans l'armoire ou la garde-robe.

VAPORISATEUR POUR LE REPASSAGE

Faire bouillir un litre (4 tasses) d'eau. Y ajouter le zeste séché de quelques citrons ou oranges. Laisser le tout refroidir. Filtrer et ajouter 30 ml (2 c. à soupe) de vodka pour fixer le parfum des agrumes.

Ajouter à un litre d'eau bouillie refroidie 5 ml (1 c. à thé) de vinaigre blanc, puis quelques gouttes d'huile essentielle à la lavande, au citron ou selon votre goût.

Verser ces eaux dans une bouteille avec vaporisateur à faisceau large pour humidifier et non détremper la surface des vêtements à repasser.

Les p'tits trucs de Louise

Lorsque vous lavez votre peignoir, vos couvertures ou votre couvre-lit, ajoutez à l'eau chaude du rinçage final une pincée de vos sels de bain préférés. Laissez vos tissus tremper une dizaine de minutes dans cette eau parfumée avant l'essorage.

Pour parfumer votre lingerie fine, imbibez une ou deux ouates d'eau de linge commerciale dont vous appréciez particulièrement l'arôme.

Déposez ces ouates dans vos tiroirs. Le parfum se diffusera dans la commode pendant quelques semaines.

En plus de parfumer les vêtements, une eau de linge à la lavande éloigne les mites, qui détestent cette odeur.

EMPOIS

Ma grand-mère disait

En râpant finement quelques pommes de terre lavées et crues, ma grand-mère fabriquait son propre amidon. Elle rinçait la pâte obtenue dans une grande quantité d'eau froide, en l'agitant fortement, jusqu'à ce que l'eau de rinçage devienne incolore. Cette pâte était versée sur un petit tapis de crin placé sur un pot destiné à recevoir l'eau qui s'écoulerait de cette mixture. Grand-maman laissait reposer le tout quelques heures pour permettre à l'amidon de se déposer au fond du récipient. En inclinant ensuite le pot, il était facile de décanter le liquide pour laisser l'amidon sécher. Une pincée de cet amidon ajoutée à de l'eau chaude suffisait à empeser les cols et les poignets des chemises de mon grand-père.

Croyance populaire

À une certaine époque, il était primordial d'empeser presque tous les vêtements et les linges de maison. La rigidité empêchait la transpiration et les salissures d'atteindre les fibres et entraînait moins de lavage. Encore aujourd'hui, un léger amidonnage protège les vêtements et les linges de table contre les taches et leur donne une belle tenue.

Des problèmes... des solutions

L'empesage rend les vêtements ou le linge plus rigides. On préparait un amidon plus souple pour empeser le linge de maison, les nappes, les napperons, les serviettes de table, les rideaux, les chemises et les mouchoirs. On utilisait un amidon plus ferme pour les dentelles et les jupons. Quelle que soit la recette, on peut alléger l'amidonnage en ajoutant une plus grande quantité d'eau. Si le linge est trempé dans une solution et qu'on le repasse mouillé, la texture deviendra plus rigide. Si on emploie un amidon en vaporisateur, sa tenue sera plus souple.

Napperons et dentelles • Diluez huit carrés de sucre ou 4 à 5 cuillerées de sucre dans 500 ml (2 tasses) d'eau. Laissez tremper les dentelles dans cette eau et faites sécher à plat.

L'eau de cuisson des pâtes alimentaires empèse bien les napperons et les dentelles.

Tissus délicats • Pour les tissus délicats, mélangez un sachet de gélatine sans saveur à 500 ml (2 tasses) d'eau chaude. Laissez la gélatine se dissoudre complètement avant d'ajouter 1 litre (4 tasses) d'eau froide. Trempez les vêtements dans cette solution.

❧ EMPOIS ☙

Faites cuire 60 ml (¼ tasse) de riz dans un litre d'eau. Laissez refroidir l'eau filtrée que vous verserez dans une bouteille avec vaporisateur.

Préparez votre solution amidonnée en diluant 15 ml (1 c. à soupe) de fécule de maïs, une pincée de sel pour empêcher l'amidon de coller au fer à repasser, dans 500 ml (2 tasses) d'eau. Agitez. Versez dans une bouteille avec pulvérisateur.

Ces eaux remplacent les empois commerciaux.

Les p'tits trucs de Louise

Si vos couvertures ou vos vêtements vous donnent de petites décharges à cause de l'électricité statique, faites-les tremper dans une eau amidonnée, comme l'eau de riz, avant de les faire sécher. Vous pouvez ajouter cette eau dans la laveuse lors du dernier rinçage. Le problème sera réglé !

Lainages

Ma grand-mère disait

À l'époque de ma grand-mère, les lainages ne contenaient aucune fibre synthétique. Pour les nettoyer, grand-maman ramassait de belles feuilles de lierre, les lavait et les plaçait ensuite dans un gros pot de grès dans lequel elle versait environ 2 litres (8 tasses) d'eau bouillante. Cette mixture infusait pendant 24 heures. Au bout de ce temps, grand-maman plongeait dans ce bain les étoffes de laine à nettoyer. Elle les frottait à la main et utilisait souvent un petit savon de ménage pour déloger les taches plus tenaces. Elle rinçait à l'eau froide et faisait sécher à l'ombre sur la corde à linge. Pour plus de facilité, elle repassait à l'envers l'étoffe encore humide.

Croyance populaire

Voilà une croyance mesquine ! Lors d'une invitation à une cérémonie de mariage, si l'on voulait nuire aux projets amoureux des fiancés, il fallait glisser dans sa poche une cordelette de laine. Au moment de l'échange des anneaux, on faisait un nœud dans le bout de laine en prononçant le nom du marié. Qui pouvait bien croire à ce sortilège ? Un amoureux aigri ou une amoureuse rejetée, une future belle-mère acariâtre... sûrement une personne envieuse du nouveau bonheur des mariés.

Des problèmes... des solutions

Lavage d'un tricot · Idéalement, un tricot devrait être lavé à la main. Si vous préférez la machine à laver, utilisez le cycle « fibres délicates », tournez le tricot à l'envers pour éviter la formation de petites boules de fibres et glissez-le dans un sac en filet pour le protéger.

Utilisez un savon doux liquide, jamais de javellisant, dans une eau tempérée. Évitez un trempage prolongé.

Ajoutez 15 ml (1 c. à soupe) de revitalisant capillaire à l'eau de rinçage qui doit être à la même température que celle du lavage. Si l'odeur de la laine vous incommode, ajoutez quelques cuillerées de vinaigre à la dernière eau de rinçage. Ces deux produits rendent les tricots doux et soyeux.

Généralement, on ne doit pas ajouter de produit adoucissant à l'eau de rinçage pour les vêtements de cachemire.

Essorez délicatement le tricot, sans le tordre, afin de ne pas le déformer. Oubliez la sécheuse ! Le lainage doit sécher à plat, sur une grande serviette éponge, loin de toute source de chaleur et des rayons du soleil.

Suivez bien les suggestions du fabricant pour l'entretien d'un lainage. La fiche d'entretien de certains tricots demande un nettoyage à sec ; il faut alors les porter chez le teinturier. Avant de laver un tricot fait main, vérifiez les conseils indiqués sur le papier entourant les balles de laine.

Tricot qui pique • Il semble que le fait de mettre un tricot de laine qui pique au congélateur pendant trois ou quatre jours avant de le porter arrête les démangeaisons. À vous d'essayer ce truc dont l'efficacité varie selon le degré de sensibilité de la peau. Du revitalisant capillaire ajouté à l'eau de rinçage rendra le tricot plus confortable.

Il perd ses poils • Un petit séjour dans le haut du réfrigérateur fixera pour un certain temps les poils d'un chandail en angora. Par contre, si vous portez avec ce pull une jupe ou un pantalon de couleur foncée, n'espérez pas de miracle !

S'il perd vraiment trop ses poils, vaporisez-le, à bonne distance, d'un peu de laque à cheveux avant de l'enfiler. N'oubliez pas que vous devez vaporiser le fixatif en surface ; le vêtement ne doit pas être détrempé. De plus, il devra être lavé après avoir été porté.

Tricot moelleux • Pour le rinçage, il est recommandé d'utiliser l'eau de cuisson des haricots blancs préalablement refroidie. Ce rinçage empêche aussi les tricots de rétrécir.

Tricot repassé • Couvrez le tricot que vous devez repasser avec une feuille de papier journal, assez ancienne pour que l'encre soit bien sèche. Passez le fer à repasser sur le papier. Le tricot ne sera pas endommagé par le repassage.

Tricot jauni • Surtout, n'employez pas d'eau javellisée pour blanchir un tricot. Faites-le plutôt tremper une trentaine de minutes dans un bain d'eau froide additionnée d'eau oxygénée (peroxyde 10 volumes), environ 15 ml (1 c. à soupe) par litre d'eau. Faites sécher à plat à l'ombre.

Tricot froissé • Pour défroisser un vêtement de laine, suspendez-le dans la salle de bains après avoir fait couler une douche chaude. Grâce à la vapeur ainsi créée, en quelques minutes, les fibres se détendront. Laissez alors reposer le tricot à plat, en le lissant bien avec vos mains. Cette technique est également efficace pour redonner du bouffant aux tricots de mohair.

Les p'tits trucs de Louise

L'eau de lavage et de rinçage d'un lainage doit être à la même température, sinon il y a de fortes chances que le tricot se feutre. Lavez-le à nouveau dans une eau tiède additionnée de glycérine, environ 75 ml (5 c. à soupe) par litre d'eau, et rincez-le dans une eau à la même température.

Le bicarbonate de soude peut aussi défeutrer un petit tricot. Ajoutez quelques cuillerées à l'eau froide de trempage. Laissez le tricot dans cette eau pendant quelques heures puis rincez-le abondamment sous l'eau claire en l'étirant du mieux que vous pouvez.

Redonnez ensuite forme au tricot en l'étendant sur une serviette éponge, en l'étirant de votre mieux, et laissez-le sécher à plat.

Si vous devez repasser un lainage, employez un fer à chaleur moyenne, sans eau ni vapeur.

Avant de ranger les lainages dans la penderie, placez-y un petit bocal rempli de clous de girofle ou d'écorces de citron séchées. Les mites détestent cette odeur.

LESSIVE

Ma grand-mère disait

Tous les lundis matin, alors que nous nous apprêtions à partir pour l'école, nous voyions ma grand-mère rouler « son moulin à laver » près de l'évier de la basse cuisine. Pendant les vacances, nous aidions grand-maman à laver les vêtements de toute la maisonnée dans une eau très chaude. Pour déloger la saleté et les taches, elle les frottait sur une plaque de verre ondulé avec un savon de pays avant de les déposer dans la machine à laver. Le mouvement de va-et-vient du brasseur berçait nos oreilles d'une musique monotone. Nous n'avions pas le droit d'actionner « le tordeur » qui représentait un véritable danger pour nos petites mains. Par contre, nous étions autorisées à recueillir les galettes de linge qui sortaient du « tordeur » et à les placer dans le grand panier qui servait à les transporter jusqu'aux cordes à linge.

Croyance populaire

Avant de « laver leur linge sale en famille », les lavandières partageaient entre elles ce savoir-faire strictement féminin. De nombreuses superstitions entouraient la journée de lessive. Par exemple, on croyait que faire le lavage le Vendredi saint était gage de malheur et qu'on pourrait enterrer son homme au cours de l'année. Dans la culture populaire, le vendredi, sixième jour de la semaine, était une mauvaise journée pour entreprendre de grands projets, de nouveaux travaux, pour faire la lessive, et même des vêtements neufs pouvaient porter malheur.

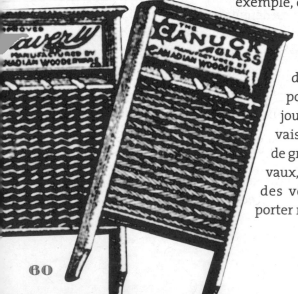

Des problèmes... des solutions

Avant la lessive • Avant de faire une brassée, prenez soin de vider les poches des vêtements. Faites attention aux mouchoirs de papier oubliés dans une poche et que vous aurez à recueillir en miettes dans la sécheuse.

Un jouet d'enfant resté dans un pantalon pourrait non seulement briser le cœur de celui qui le réclamerait, mais aussi endommager les autres vêtements.

Protégez les vêtements en les boutonnant et en les retournant avant de les laver. Cette opération empêchera aussi les couleurs de pâlir au lavage.

On le répète souvent : il ne faut pas mélanger le blanc et la couleur dans la lessiveuse. La tentation est forte, lorsqu'on prépare une très petite brassée, de ne pas respecter cette directive très importante. Et voilà pourquoi on se retrouve avec des vêtements grisâtres !

Lisez bien les consignes d'entretien sur l'étiquette pour choisir la température de l'eau et le programme de lavage adéquat. Par exemple, le polyester lavé à l'eau chaude aura tendance à se froisser.

Prenez garde de ne pas laver les tissus pelucheux (serviettes éponge, par exemple) avec des vêtements qui attirent la charpie (polyester, velours, velours côtelé, couleurs foncées).

Blancheur éclatante • Si les voilages ont jauni après quelques années, ajoutez 30 ml (2 c. à soupe) de fécule de maïs ou 250 ml (1 tasse) de lait en poudre à l'eau de rinçage. Les voilages blancs suspendus au soleil blanchiront naturellement en séchant.

L'ajout de jus de citron à l'eau de lessive blanchit les vêtements.

Pour conserver la blancheur de la laine ou de la dentelle, ajoutez quelques cuillerées d'eau oxygénée à l'eau de rinçage. Le peroxyde 10 volumes est reconnu pour blanchir les tissus jaunis au fil des ans.

Les coquilles d'œuf ont la propriété de blanchir les vêtements. Glissez-en quelques-unes dans un petit sac en tissu. Ajoutez-le à une brassée de blanc.

On a longtemps cru qu'étendre le linge blanc la nuit, lors de la pleine lune ou en temps de gel, pourrait blanchir les vêtements. Ces trucs n'ont pas toujours donné les résultats escomptés.

Trop de savon • S'il y a trop de savon dans la machine à laver et que la mousse commence à déborder, versez un verre de vinaigre et la mousse se dissipera.

Surcharge • N'oubliez pas que la machine à laver n'est pas un bull-dozer. Les vêtements doivent circuler librement autour de l'agitateur. Si vous la surchargez, vos vêtements seront moins propres et pleins de faux plis.

Eau dure • Si dans votre municipalité l'eau est dure, il faudra modifier la quantité de détergent recommandée. Une eau dure demande plus de détergent tandis qu'une eau douce en requiert moins.

Éclat • L'ajout de 60 ml (¼ tasse) de borax à votre lessive adoucira l'eau, activera le détersif et donnera une lessive plus éclatante.

Odeurs • Pour éviter les odeurs de moisissure émanant d'une machine à laver au chargement frontal ou vertical, laissez la porte entrouverte. Nettoyez régulièrement les filtres et examinez les tuyaux pour y déceler tout signe de détérioration.

Les p'tits trucs de Louise

Demandez aux membres de la famille d'attacher, avec une épingle à couche, leurs paires de bas avant de les mettre au lavage. Au moment du rangement, les bas seront déjà appareillés. Le meilleur truc reste d'acheter une bonne demi-douzaine de bas de la même couleur, du même motif. Finis les casse-tête pour les assembler.

Si chacun des membres de la famille met ses sous-vêtements dans un sac en filet, la responsable, souvent la maman, gagnera du temps lors du rangement.

Préparez des paniers codés par couleur que vous glissez sous le lit des enfants ou dans la buanderie pour y déposer le linge sale. Un panier pour le blanc, un pour le clair et le dernier pour le foncé.

Demandez de l'aide de vos ados... L'un d'eux pourrait être responsable du lavage une semaine par mois. Un autre, du pliage. Pas toujours facile... me direz-vous. Mais il faut essayer et leur montrer assez tôt comment se débrouiller. Le premier « appart » n'est pas très loin et vous n'aurez sûrement pas envie que vos enfants viennent vous visiter avec leur petit baluchon sous le bras.

MEUBLES ANCIENS

Ma grand-mère disait

Pour nettoyer le bois de ses meubles, ma grand-mère utilisait une solution d'huile d'olive et de térébenthine. Pour faire taire un tiroir bruyant ou récalcitrant, elle lubrifiait les coulisses avec de la cire de chandelle. Grand-maman protégeait le dessus de ses commodes avec de petits napperons à la frivolité, technique que lui avait apprise une de ses tantes.

Croyance populaire

Pour profiter d'une bonne nuit de sommeil, plusieurs se sont relevés pour aller fermer un tiroir de commode ou une porte entrouverte. Ce réflexe découle souvent des peurs nocturnes de l'enfance, où dans la pénombre l'on imaginait monstres et sorcières cachés sous le lit, dans les tiroirs ou dans l'armoire.

Des problèmes... des solutions

Pour protéger les meubles anciens, il faut les manipuler et les entretenir avec soin.

Polir • Polir un meuble avec une huile légèrement réchauffée pénètre bien le bois.

Dorures • Il n'est pas recommandé d'utiliser du nettoyant à vitres en aérosol pour nettoyer les dorures. Quelques gouttes d'huile d'olive sur un chiffon les feront briller.

Lumière et humidité • La lumière affecte le bois, et les dommages qu'elle cause peuvent devenir irréversibles. Un taux d'humidité trop élevé fait que le bois absorbe l'eau et gonfle légèrement. Par contre, par temps très sec, l'eau s'évapore, et le bois rétrécit. C'est pourquoi il faudrait éviter de placer un meuble en bois près d'un foyer, d'une fenêtre très ensoleillée ou d'une plinthe chauffante.

Trous • Si vous remarquez de petits trous ou de minuscules tunnels dans le bois, il faudrait traiter le meuble avec un produit chimique contre les vers. Après le traitement, il est facile de combler les trous avec un crayon de cire colorée vendu dans les centres de rénovation ou un mélange de pâte à bois et de térébenthine qu'on injecte avec une seringue.

POUR L'ÉPOUSSETAGE

Mélanger 2 ml (½ c. à thé) d'huile d'olive à 60 ml (¼ tasse) de vinaigre ou de jus de citron. Humecter un chiffon doux avec cette solution et le conserver pour un époussetage régulier des meubles en bois.

POUR LE POLISSAGE

Mélanger 30 ml (2 c. à soupe) d'huile de lin à 30 ml (2 c. à soupe) de vinaigre et 60 ml (¼ tasse) de jus de citron. Humecter un chiffon et faire pénétrer la solution dans le bois en le polissant.

Les p'tits trucs de Louise

Un meuble centenaire se déplace par son point le plus fort. Une table, par exemple, doit être soulevée par les pattes et non par le dessus. On lève aussi une chaise par le siège et non par le dossier.

Essuyez immédiatement toute trace de liquide renversé sur le bois et qui laisserait des marques blanchâtres.

Il est aussi important de protéger le dessus d'un meuble avec un sous-plat lorsque vous y posez une assiette chaude.

N'utilisez pas d'huile citronnée ou de produit en aérosol pour le cirage. Passez plutôt une couche de cire d'abeille de bonne qualité.

L'époussetage d'une surface en bois se fait avec un chiffon sec et non détrempé.

REPASSAGE

Ma grand-mère disait

Quelle chance ! Ayant de nombreux enfants à élever, ma grand-mère possédait une repasseuse électrique dans sa maison de Boucherville. C'était tout un luxe pour l'époque ! Je m'assoyais auprès d'elle et la regardais engager entre les rouleaux les mouchoirs, les linges à vaisselle et les grands draps de toile. Elle me prévenait des dangers à manipuler la repasseuse. Sous surveillance, de temps en temps, je pouvais glisser une pièce de tissu en faisant bien attention à mes doigts.

Elle reconnaissait sa chance de posséder un tel appareil et me racontait que sa mère devait faire chauffer ses fers très lourds sur le poêle à bois pour effectuer le repassage de toute la famille. Une tâche ménagère qu'elle qualifiait de « véritable corvée ».

L'expression « aller porter les vêtements chez le Chinois » vient de la popularité des blanchisseries (plus de 800 à Montréal) qui avaient pignon sur rue vers 1920 et qui étaient tenues par des Chinois. À cette époque, 80 % des Chinois immigrants travaillaient de longues heures dans toutes ces blanchisseries pour gagner leur vie. Les autres travaillaient dans les restaurants pour préparer le chop suey.

Croyance populaire

Il fallait faire preuve de débrouillardise à une certaine époque, et les hommes avaient trouvé une façon originale dè presser leurs pantalons. Bien étendu, pli sur pli, ils le glissaient entre le sommier et le matelas. Après une nuit de sommeil, ils retrouvaient un pantalon légèrement rafraîchi le matin.

Une croyance persiste encore de nos jours... c'est qu'il n'est pas vraiment nécessaire de repasser les chemises, les pantalons et autres vêtements, puisque le tissu contient des fibres synthétiques et qu'on ne voit pas la différence ! Malheureusement... il est facile de repérer d'un simple coup d'œil les personnes qui détestent le repassage !

Des problèmes... des solutions

Le fer à repasser • Assurez-vous d'avoir un fer à vapeur en bon état. Si la semelle du fer est tachée, n'utilisez surtout pas un tampon à récurer, qui pourrait rayer la surface. Frottez-la plutôt avec du sel mélangé à de l'eau. Ensuite, rincez-la.

Si des taches brunâtres subsistent, enlevez-les avec du dissolvant à vernis à ongles contenant de l'acétone. Si la semelle du fer est recouverte d'un enduit antiadhésif, il est préférable de faire chauffer l'appareil à la température maximale et de repasser un chiffon plutôt rêche ou d'utiliser une feuille de papier pour décoller les résidus.

L'eau du robinet contient du calcaire et le fer à repasser peut en souffrir. Utilisez de l'eau déminéralisée ou de l'eau du robinet filtrée.

La planche à repasser • Il est important que la planche à repasser soit recouverte d'une housse bien rembourrée.

À garder sous la main • Une bouteille d'eau munie d'un vaporisateur.

De l'empois en aérosol.

Des cintres pour suspendre les vêtements. Assurez-vous d'avoir l'espace nécessaire pour bien étaler les articles repassés que vous ne pouvez ranger immédiatement. Les vêtements fraîchement repassés sont très froissables : il faut laisser le tissu refroidir avant de les suspendre dans la garde-robe.

Juste avant de repasser • Triez les vêtements et commencez par tous ceux qui demandent une température basse. Un fer trop chaud risque de lustrer les fibres du tissu et même de les brûler.

Vérifiez les symboles inscrits sur l'étiquette du vêtement. Toutes les indications y sont bien indiquées, la sorte de tissu, la température à laquelle vous devez régler le thermostat du fer.

L'empois sert à rendre un vêtement plus rigide. Vaporisez sur l'endroit du vêtement après le séchage et juste avant le repassage.

Cols • Pour des cols sans faux plis, repassez-les à l'envers, puis à l'endroit en repassant des extrémités vers l'intérieur. Il n'est pas nécessaire d'appliquer une forte pression : c'est la vapeur du fer à repasser qui doit faire le travail.

Pli de pantalon • Pour un pli de pantalon impeccable, couvrez le pli avec un sac de papier kraft (sac d'épicerie) et repassez avec un fer très chaud.

Velours • Pour le velours, les broderies qu'on repasse sur l'envers, glissez sous le tissu à repasser une serviette éponge afin que les fibres ne s'écrasent pas.

Les p'tits trucs de Louise

Pour faciliter le repassage, sortez les vêtements de la sécheuse alors qu'ils sont légèrement humides et repassez-les immédiatement.

Si vous n'avez pas le temps de terminer votre repassage, placez au réfrigérateur les vêtements humectés et vous poursuivrez votre travail quelques heures plus tard ou le lendemain.

Il est préférable de repasser à l'envers, avec une pattemouille (linge humide), les tissus délicats, les tissus foncés et la laine afin qu'ils ne soient pas marqués par un fer trop chaud.

Attention aux fibres fragiles • La rayonne et l'acétate se décolorent et se lustrent rapidement au contact d'un fer à repasser trop chaud.

La soie, la viscose et la rayonne restent facilement marquées sous un trop grand jet d'eau du vaporisateur.

Les fibres acryliques ne supportent pas la vapeur.

Se rappeler que pour protéger les vêtements, on repasse le blanc sur l'endroit du tissu et les pièces de couleur, sur l'envers.

Détendez-vous! • Alliez la corvée du repassage à un moment de détente.

Posez un tapis sous vos pieds ou, si vous préférez repasser assise, prévoyez un tabouret à la bonne hauteur.

Écoutez de la musique.

Regardez la télévision.

Visionnez votre film préféré.

SÉCHAGE

Ma grand-mère disait

Quand ma grand-mère disait : « Beau temps pour étendre », on savait que la corvée de lessive débuterait très tôt. Pour étendre le linge, ma grand-mère avait sa méthode : du plus grand morceau au plus petit, 3 épingles pour 2 morceaux de linge pour sauver de l'espace sur la corde, des gestes précis pour composer une belle corde à linge ordonnée. D'ailleurs, la corde à linge reflétait la personnalité de chacune des voisines de ma grand-mère. De la plus brouillonne...

à la plus méthodique, et ma grand-mère ne limitait pas ses commentaires sur le spectacle multicolore des cordes à linge.

L'hiver, elle avait l'habitude de tendre une petite corde à linge dans la salle à manger, communiquant avec le salon, où on ne mangeait jamais les soirs de semaine. Elle y faisait sécher les sous-vêtements de la famille... jusqu'au jour où elle a reçu la visite-surprise de religieuses de la paroisse. Tandis qu'elle leur parlait avec une politesse extrême, elle ne pouvait s'empêcher de penser au spectacle qu'elle offrait aux « bonnes sœurs » confortablement assises sur le divan du salon !

Croyance populaire

Qui ne connaît pas cette croyance pour assurer une belle température la journée d'un mariage ? Il suffit, la veille, de suspendre un chapelet à la corde à linge. Lorsque ce truc ne fonctionnait pas... on se consolait en répétant aux mariés l'expression populaire : « Mariage pluvieux... mariage heureux. »

Et la fête continuait... souvent toute la nuit. Le lendemain, en constatant les yeux cernés et le manque de sommeil, on ne manquait pas de leur faire remarquer qu'ils avaient sûrement « passé la nuit sur la corde à linge ».

Des problèmes... des solutions

Corde à linge • Pour mieux équilibrer la corde à linge, voici quelques trucs.

Placez en début de cordée les vêtements qui prennent le plus de temps à sécher, par exemple les jeans, et en tout dernier, les sous-vêtements, qui sèchent plus vite.

Les jupes sont suspendues par la taille, les chandails et les pantalons par l'ourlet.

La corde à linge idéale offre une partie au soleil pour les tissus blancs et une partie à l'ombre pour les vêtements de couleur.

Fixez quelques cintres à la corde à linge : vous pourrez y suspendre les bas, les sous-vêtements ou y accrocher une chemise.

Afin d'empêcher les rideaux et les nappes de s'enrouler autour de la corde, fixez quelques épingles à linge dans le bas pour alourdir le tissu.

NETTOYER LA CORDE À LINGE

Pour nettoyer la corde à linge ou un séchoir extérieur, passez un chiffon imbibé de savon à vaisselle sur les cordes lorsque la pluie s'annonce. Le ciel se chargera du rinçage.

Une sécheuse si pratique • Pour faire sécher de gros articles comme les couvertures, les édredons et les oreillers, ajoutez deux ou trois serviettes éponge. Elles absorberont l'humidité et permettront d'écourter le temps de séchage. Ne jamais déposer dans la sécheuse des vêtements imbibés d'eau.

Si vous retirez les vêtements de la sécheuse alors qu'ils sont encore légèrement humides et les suspendez aussitôt, ils seront beaucoup moins froissés.

Si vous avez oublié des vêtements dans la sécheuse depuis quelques jours et que vous les retrouvez froissés, il suffit d'ajouter une serviette éponge humide à la brassée et de faire fonctionner la sécheuse à nouveau pendant une dizaine de minutes. L'humidité défroissera les vêtements.

Attention au séchage simultané des vêtements colorés et blancs. Il peut teinter en gris les tissus blancs.

Secouez les vêtements avant de les placer dans la sécheuse. Si vous surchargez trop la sécheuse, le temps de séchage sera plus long et les vêtements seront froissés. Aussitôt le cycle terminé, retirer les vêtements et les suspendre vous évitera la corvée du repassage.

Vous désirez porter un vêtement légèrement froissé et vous n'avez pas le temps de le repasser... Vaporisez-le d'une légère brume. Cinq minutes dans la sécheuse et le vêtement ressortira défroissé.

Videz le filtre de la sécheuse après chaque utilisation pour maintenir une bonne circulation d'air. L'accumulation de charpie est une des principales causes du gaspillage d'énergie et peut être une source d'incendie. Lavez occasionnellement les grilles du filtre avec un détergent à lessive.

C'est une pratique dangereuse que d'évacuer l'air chaud de la sécheuse à l'intérieur de la maison en raison des fibres, de l'humidité et des produits chimiques qui se dégagent lors du séchage des vêtements.

Les p'tits trucs de Louise

En ville, comme à la campagne, on constate le retour de la corde à linge dans les cours arrière des maisons. Pourquoi ne pas profiter de cette ressource naturelle qu'est le vent pour sécher les vêtements pendant les quelques mois où la température est plus clémente ?

Qui se plaindrait de l'odeur des draps séchés au grand air ?

Peu de gens s'élèvent contre la laideur de la corde à linge... elle est plutôt le symbole de la vie familiale. Et comme au temps de ma grand-mère, tous les lundis, les cordes à linge dansent dans le vent québécois.

Pour éviter que les vêtements, les draps et les serviettes raidissent sur la corde à linge, vous devez étendre par journée de grand vent. Sinon, je vous suggère deux solutions.

Faire sécher une dizaine de minutes le linge dans la sécheuse avant de le suspendre sur la corde à linge.

Ou à la toute fin du séchage sur la corde, retirer le linge à peine humide et le déposer 5 minutes dans la sécheuse avec une feuille d'assouplissant. Le tour est joué !

Vaisselle

Ma grand-mère disait

Lorsque ma grand-mère nous disait « on va laver la vaisselle de fantaisie », on connaissait le rituel. Elle dépliait de grands linges à vaisselle en lin réservés à cette vaisselle raffinée utilisée seulement lors des anniversaires et des repas du temps des Fêtes. Elle couvrait le fond de l'évier avec une serviette éponge afin de ne pas ébrécher la vaisselle, la lavait avec toutes les précautions nécessaires. C'était toujours avec un nouvel émerveillement que nous essuyions ces morceaux délicats que nous retrouvions d'une année à l'autre.

Croyance populaire

Les superstitions sont nombreuses concernant la vaisselle. Par exemple, si vous échappez un morceau de vaisselle, vous devez vous attendre à en casser deux autres dans la même journée. Les Anciens suggéraient donc de contrer le mauvais sort en jetant par terre deux autres plats ou assiettes déjà fêlés ou endommagés. Le mauvais sort était ainsi conjuré pour cette journée.

Par contre, lors d'un mariage, plus on brise de vaisselle, meilleures seront les chances pour les nouveaux mariés de connaître une vie heureuse.

Des problèmes... des solutions

Ajouter un bouchon de vinaigre blanc à l'eau de rinçage de la vaisselle pour lui donner un fini brillant.

Nettoyer des assiettes anciennes tachées, rayées ou jaunies en les faisant bouillir dans du lait.

Anse brisée d'une tasse en porcelaine • Utilisez une colle à séchage rapide. Après avoir replacé l'anse contre la tasse, solidifiez le tout avec du ruban adhésif. Attendez quelques heures avant de retirer le ruban.

Pièce de porcelaine brisée • Lavez et asséchez la pièce avant d'appliquer une colle à l'époxy sur les deux bords de la cassure. Maintenez la pression pendant quelques minutes. Pour faire durcir la colle plus rapidement, utilisez la chaleur d'un sèche-cheveux. N'utilisez pas cette pièce, qui demeurera fragile, avant quelques jours.

Si vous devez faire un raccord et qu'il manque un petit morceau, comblez l'espace avec du mastic que vous lissez du bout du doigt. Lorsque le mastic sera bien sec, poncez légèrement et polissez avec un chiffon enduit d'un produit lustrant à base de silicone afin de mieux camoufler la réparation.

Les p'tits trucs de Louise

Encore aujourd'hui, je préfère laver à la main la vaisselle ancienne, dont une collection de tasses en porcelaine provenant de ma grand-mère, de ma mère et de mes tantes. Un lavage dans le lave-vaisselle pourrait faire perdre de l'éclat aux couleurs et enlever la patine d'origine.

Si une tasse est tachée par un dépôt de thé ou de café, je mélange un peu de sel à du vinaigre ou du bicarbonate de soude à du citron et je frotte les taches avec une de ces pâtes. L'eau javellisée n'est pas recommandée.

Attention de ne pas réchauffer le contenu d'une assiette ancienne dans le four à micro-ondes. Vous pourriez l'endommager et voir la bordure dorée s'enflammer et noircir.

PRÉVENIR ET COMBATTRE

– La Petite a attrapé des poux ! Il faut un peigne fin !
Aïe c'est comme un râteau d'aiguilles
qui passe et repasse sur mon crâne.
– Grouille pas ou les poux vont te manger la cervelle !

Anne Hébert, *Kamouraska*

Les compagnies pharmaceutiques s'enrichissaient et moi,
innocente, je proposais au public des herbes de l'ancien temps,
des remèdes de grand-mère... indienne ! J'ai même dû lutter
contre mes propres enfants qui juraient que par le sirop
Lambert et l'aspirine. Pas folle, la Germaine.
Quelque chose me disait qu'après s'être empoisonné
avec le chimique, le monde reviendrait aux produits naturels.

Janette Bertrand, *Le Bien des miens*

ALLERGIES

Ma grand-mère disait

Une de mes cousines souffrait d'une allergie au sparadrap et grand-maman pouvait difficilement panser ses petites blessures. Un médecin lui avait alors procuré un petit flacon de teinture de Benjoin, un nom qui nous faisait bien rigoler. Elle badigeonnait sa peau avec cette teinture avant d'y coller le pansement afin de ne pas y créer d'irritation.

Croyance populaire

Il y a des croyances qui traversent les siècles, mais que faut-il penser de cette nouvelle légende urbaine qui assure que « faire l'amour » diminue la congestion nasale et soulage les personnes souffrant du rhume des foins ?

Un mal... un remède

Le rhume des foins • Au début de l'été quand le nez coule, que les yeux piquent et que les éternuements se multiplient, on souffre probablement du rhume des foins. Le pollen des graminées et les spores de moisissures dans l'air sont les coupables.

La pluie est le meilleur allié des personnes atteintes de cette maladie puisque les grains de pollen restent collés au sol.

Limitez vos séjours à l'extérieur par temps sec et venteux. En fin de journée, la concentration de pollen dans l'air est réduite.

Portez des lunettes de soleil pour protéger vos yeux contre les irritants. Ne vous frottez pas les yeux, mais aspergez-les d'eau.

Nettoyez bien votre peau, lavez vos cheveux en soirée pour éliminer toute trace du pollen qui pourrait vous irriter au cours de la nuit.

Utilisez un filtre à air dans la maison.

L'herbe à poux • Présente à la fin de juillet, cette herbe doit être arrachée avant la floraison. C'est le meilleur moyen de la contrôler et de soulager les personnes sensibles à son pollen. Si vous voyez quelques plants près de votre résidence, arrachez-les. La plante n'est pas allergène au toucher. Si vous identifiez plusieurs plants dans votre environnement, il serait bon d'en faire part à l'administration de votre municipalité qui prendra les mesures nécessaires.

CONTRE LES DÉMANGEAISONS

Pour soulager les démangeaisons à la suite d'une réaction allergique, préparez une pâte avec du bicarbonate de soude et un peu d'eau. Appliquez ces compresses sur la peau irritée.

Les p'tits trucs de Louise

On peut être sensible à un allergène ou à plusieurs. Dans une certaine mesure, il est possible de contrôler votre environnement pour réduire les réactions allergiques. Maintenant, les allergies alimentaires, comme une allergie aux arachides, sont dépistées rapidement. On trouve dans les épiceries, les centres d'alimentation et les restaurants de plus en plus de produits sécuritaires pour les personnes souffrant d'allergies.

De nombreux enfants développent des allergies à cause de la présence de plusieurs toutous de peluche dans la chambre à coucher. Il faudrait en limiter le nombre. Si le toutou préféré semble une source allergène, glissez-le régulièrement quelques heures dans le congélateur. Aucun acarien ne résiste à la congélation !

BALLONNEMENTS

Ma grand-mère disait

Lorsque ma grand-mère cuisinait des fèves au lard, elle ajoutait toujours une petite pincée de moutarde sèche à l'eau de trempage des fèves. Elle les laissait tremper toute la journée avant de les cuire au four à feu très doux pendant la nuit.

Grand-maman nous précisait que cette petite précaution éviterait bien des ballonnements et des maux de ventre à toute la famille. Comme elle disait : vaut mieux y penser avant... sinon les narines de toute la famille en seront affectées.

Croyance populaire

Vous serez peut-être surpris d'apprendre que, pendant des siècles, on a cru qu'on pourrait s'empoisonner si on retenait ses gaz. L'empereur Claude avait même promulgué une loi autorisant les gaz bruyants lors des banquets et des réceptions. Heureusement, aujourd'hui les gens sont mieux informés et font preuve de plus de délicatesse !

Le pet-de-sœur • En voilà un qui est très populaire ! Il semble, d'après la légende, que des religieuses préparaient un repas officiel pour l'évêque de leur région lorsqu'on entendit un bruit saugrenu. Gênées, les sœurs gloussaient et la sœur cuisinière détourna l'attention en laissant échapper une cuillère de pâte à chou dans une marmite remplie d'huile brûlante. Ce petit beigne fut baptisé « pet-de-nonne ».

Un mal... un remède

Légumineuses • Pour atténuer les ballonnements et les maux de ventre, on a utilisé différents remèdes et techniques.

Réchauffer un morceau de flanelle et l'appliquer sur le ventre.

Apposer des compresses de lait bouilli saupoudré de poivre sur le ventre.

Masser le ventre et le nombril avec de l'huile végétale tiède.

Manger une gousse d'ail réduite en purée.

Boire une tisane à base de cumin après les repas.

Mâcher des graines de fenouil ou les préparer en tisane.

Pour éviter les ballonnements lorsque vous cuisinez des légumineuses, vous pouvez ajouter une pincée de bicarbonate de soude à l'eau de cuisson et du cumin, du carvi, de la coriandre ou du curcuma aux légumineuses cuites.

Flatulences • Pour éviter les flatulences, il est important de bien mastiquer les aliments contenant des fibres et les légumes tels le chou et le maïs.

Les probiotiques sont reconnus pour réduire les flatulences.

Les p'tits trucs de Louise

Le romarin soulage l'effet désagréable des ballonnements. Infusez environ 50 ml (¼ tasse) de romarin séché dans 1 litre (4 tasses) d'eau. Buvez une tasse de cette tisane après les repas.

Évitez les boissons gazeuses.

Attention de ne pas trop avaler d'air en mangeant. Si vous souffrez de ballonnements, la gomme à mâcher n'est peut-être pas recommandée.

Les produits laitiers, le chocolat, les aliments gras, les céréales, les légumineuses, les légumes de la famille du chou, les fruits, spécialement l'abricot et la banane, l'oignon, les petits pois, la pomme de terre, les crudités et le pain blanc peuvent être responsables de ballonnements. Il serait bon de tenir un journal pour noter les aliments que vous mangez et que vous soupçonnez être la cause de vos ballonnements. À vous de découvrir les coupables !

CHEVEUX

Ma grand-mère disait

Il est facile de se préparer un petit traitement beauté à la maison pour les cheveux ternes en mélangeant un jaune d'œuf à 15 ml (1 c. à soupe) d'huile d'olive. Grand-maman ajoutait 15 ml (1 c. à soupe) d'alcool blanc ou 1 jet du gros gin de grand-papa, et le tour était joué !

Elle appliquait cette mixture sur le cuir chevelu et la laissait imprégner les cheveux pendant quelques heures (vive le bonnet de nuit !). Douche obligatoire dès le lever, et les cheveux retrouvaient leur brillance après quelques traitements.

Croyance populaire

La pleine lune est favorable à la coupe des cheveux. Par contre, si vous coupez les cheveux au déclin de la lune, ils repousseront moins vite.

Un mal... un remède

Cent coups de brosse quotidiens assurent une belle chevelure.

Volume • Rincer la chevelure avec de la bière lui redonnera du volume.

Brillance • Pour redonner de la brillance à une chevelure en bonne santé, il suffit de verser une bonne quantité d'eau minérale (eau Perrier) sur les cheveux après le shampooing et le rinçage. Les écailles se refermeront instantanément, et les cheveux seront plus brillants après le coiffage.

Cheveux blonds • Les cheveux blonds prennent souvent une couleur surprenante au contact de l'eau chlorée des piscines. Avant la baignade, frictionnez vos cheveux avec 125 ml (½ tasse) de vinaigre. Adieu cheveux verts...

L'application d'une infusion à la camomille sur les cheveux blonds des jeunes enfants permet de conserver ce blond naturel pendant plusieurs années.

Cheveux gras • Se passer les mains continuellement dans les cheveux contribue à les endommager et à ce qu'ils deviennent gras beaucoup plus rapidement.

Cheveux secs • Enduire les cheveux de mayonnaise une quinzaine de minutes avant de les laver.

Perte des cheveux • Masser le cuir chevelu tous les soirs avec de l'huile d'olive pendant deux semaines. Couvrir la tête d'une serviette pour la nuit et laver les cheveux avec un shampooing doux dès le lever.

Amener à ébullition 250 ml (1 tasse) d'eau additionnée de 15 ml (1 c. à soupe) de thym frais. Laisser la tisane reposer une dizaine de minutes avant de la filtrer. Appliquer sur le cuir chevelu matin et soir pendant quelques semaines.

Le lait de coco est reconnu pour favoriser la pousse des cheveux. Appliquer le lait sur la chevelure et laisser agir une vingtaine de minutes avant de rincer sous l'eau tiède.

Pointes sèches • Brûler avec une allumette les pointes fourchues des longs cheveux secs demande beaucoup de prudence. Nos grands-mères étaient habiles avec les allumettes et

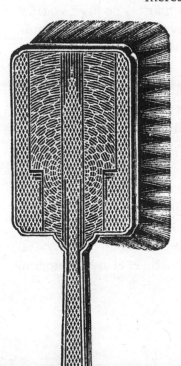

le briquet. Si les pointes des cheveux longs sont très sèches, les imprégner d'huile d'olive ou d'huile d'amande douce. Laisser agir une vingtaine de minutes avant de laver les cheveux. Couper les pointes fourchues environ toutes les six semaines assure une belle chevelure.

L'argile • Pour remédier au problème des cheveux gras, mélanger de l'argile à de l'eau additionnée d'une bonne pincée de sel marin. Masser le cuir chevelu avec cette pommade d'argile et laisser agir une vingtaine de minutes.

La banane • Une banane très mûre alliée à un avocat à point constitue un excellent masque pour les cheveux. Appliquer la pommade sur les cheveux et laisser agir une vingtaine de minutes avant de les laver et de les rincer sous l'eau tiède.

L'avocat • L'avocat hydrate les cheveux en profondeur. Préparer une pommade composée de la pulpe d'un avocat bien mûr et de deux jaunes d'œufs. Passer le tout au mélangeur. Appliquer sur la chevelure après un bon shampooing. Porter un bonnet de douche ou couvrir vos cheveux d'une serviette chaude. Laisser agir 30 minutes avant de rincer.

Le jus de citron • L'ajout régulier de jus de citron à l'eau de rinçage assure des cheveux doux et brillants.

La mayonnaise • Comme nos grands-mères, on peut préparer un masque à la mayonnaise en y ajoutant quelques gouttes de jus de citron.

Le miel • Pour nourrir et redonner de l'éclat aux cheveux secs, mélanger à parts égales du miel et de l'huile d'olive. Ajouter quelques gouttes de jus de citron et bien mélanger avant d'appliquer la pommade. Laisser agir 20 minutes avant de laver la chevelure.

Le vinaigre • Ajouter quelques cuillerées de vinaigre à l'eau de rinçage pour remédier au problème des cheveux gras. Le vinaigre élimine aussi tout résidu de shampooing, de conditionneur, de laque et de gel dans les cheveux.

Le yogourt • On obtient des cheveux brillants et soyeux en mélangeant 60 ml (4 c. à soupe) d'huile d'olive, un jaune d'œuf, 10 ml (2 c. à thé) de yogourt nature et quelques gouttes de jus de citron. Appliquer le mélange sur le cuir chevelu en imprégnant bien tous les cheveux. Couvrir d'une serviette et laisser le produit

agir quelques heures ou toute la nuit. Rincer à l'eau tiède avant de laver les cheveux.

Les p'tits trucs de Louise

Lors de l'application d'un traitement, recouvrez les cheveux d'une serviette chaude, que vous aurez fait tourner quelques minutes dans la sécheuse. La chaleur permet au traitement de bien pénétrer.

Lavez vos cheveux dans une eau tiède et non très chaude. Le dernier rinçage demande un peu de courage, puisque idéalement il devrait se faire sous l'eau froide.

Une des principales causes des cheveux secs est le lavage trop fréquent. Espacez les shampooings, au besoin utilisez un shampooing sec en poudre entre les lavages.

Les quatre ennemis des cheveux : le chlore des piscines, le sel de la mer, le vent et le soleil. On doit se protéger en portant un chapeau approprié.

Selon le conseil de ma coiffeuse, si vous souffrez de démangeaisons après une coloration, vous pouvez parer au problème en ajoutant une cuillerée de lait au mélange du colorant. Finies les irritations !

CHOLESTÉROL

Ma grand-mère disait

Le mot « cholestérol » ne faisait pas partie du vocabulaire de mes grands-parents. Par contre, lorsque ma grand-mère voyait mon grand-père se préparer un sandwich au « porc frais » au petit déjeuner, elle lui faisait des remontrances, le prévenant qu'il souffrirait bientôt d'une maladie du cœur. Elle essayait de l'apeurer en lui affirmant qu'il aurait très bientôt besoin de boire des infusions de poils de porc-épic (vieille pratique indienne) pour soulager son cœur malade. Pour lui faire plaisir ou par crainte de tomber malade, grand-papa allégeait son petit déjeuner pendant quelques jours.

Croyance populaire

Vous avez peut-être entendu parler du truc « miraculeux » pour conserver un bon taux de cholestérol ? Il faudrait avaler tous les matins un petit pois sec, un pois blanc utilisé dans la préparation d'une soupe aux pois. Cette croyance tient du conte de fées... puisqu'aucune étude n'a prouvé l'efficacité de cette méthode.

Un mal... un remède

Œufs • L'alimentation joue un grand rôle dans l'augmentation du taux de cholestérol. On s'est longtemps méfié des œufs, surtout du jaune. Il serait préférable de limiter sa consommation à trois œufs par semaine. Par contre, la consommation du blanc d'œuf n'est pas limitée. En cuisine, on peut préparer d'excellentes omelettes ou des œufs brouillés en mélangeant seulement un jaune à plusieurs blancs.

Lait • Boire du lait écrémé aurait des propriétés pour abaisser le taux de cholestérol.

Gras • Pour conserver un taux de cholestérol acceptable, il faut diminuer notre consommation de gras. On remplace donc tous les gras de cuisson par une huile d'olive ou une huile riche en acides mono-insaturés (huile de noix, de colza, d'arachides). Lisez bien les étiquettes avant d'acheter les huiles et suivez les conseils des nutritionnistes.

Les acides mono-insaturés diminuent le cholestérol LDL (mauvais) et augmentent le cholestérol HDL (bon) en nettoyant les artères et en ramenant le cholestérol vers le foie. L'accumulation de cholestérol sur les parois des artères est une des causes des maladies cardiovasculaires.

La consommation d'acides gras oméga-6 (acides gras linoléiques) contribuerait à faire baisser le taux de cholestérol.

Céréales • L'orge et le son d'avoine sont deux céréales riches en fibres dont la consommation aurait une incidence sur le taux de cholestérol. On peut ajouter ces céréales au menu du petit déjeuner, cuisiner des muffins au son d'avoine, ajouter de l'orge dans les soupes, etc.

Les p'tits trucs de Louise

Toutes les personnes qui me connaissent savent que je fais de l'embonpoint. Heureusement, jusqu'à maintenant mon taux de cholestérol n'est pas trop élevé.

Mon truc n'est peut-être pas la découverte du siècle et peut sembler farfelu... mais je vous avoue que je n'ai jamais bu un café de ma vie. Par contre, je bois régulièrement du thé noir ou vert. Comme le thé est riche en tanin, il semble que cette bonne habitude pourrait maintenir mon cholestérol à un taux acceptable.

CRAMPES NOCTURNES

Ma grand-mère disait

Rien de mieux qu'un pain de savon de Marseille déposé sous les couvertures au pied du lit ! Au Québec, le véritable savon de Marseille n'étant pas disponible, c'est donc le savon Ivory qui a eu la cote durant plusieurs décennies. Ma grand-mère en avait toujours un sous son drap et lorsque nous nous couchions dans son grand lit, nous essayions de l'atteindre du bout des orteils.

Croyances populaires

On a longtemps cru qu'un aimant de dimensions moyennes, déposé au fond du lit, à la hauteur des pieds, éliminerait les crampes nocturnes. Encore aujourd'hui cette croyance est populaire et quelques personnes glissent un petit aimant dans la poche de leur pantalon pour éviter les crampes durant la journée.

Nouer un brin de laine autour de la cheville éliminerait les crampes nocturnes. L'efficacité de cette croyance n'a pas encore été démontrée.

Un mal... un remède

Surface froide • Tous ceux qui subissent des crampes dans les jambes durant le sommeil vous diront que la douleur les force à se lever brusquement de leur lit et à sautiller sur un carrelage froid, souvent sur la pointe des pieds, jusqu'à ce que la douleur s'atténue. Le fait d'étirer le muscle sur un sol froid soulage la douleur.

Massage • Un massage pour détendre les jambes avant d'aller au lit réduit la fréquence des crampes souvent dues aux muscles contractés lorsqu'on se tourne ou qu'on s'étire durant le sommeil.

Couverture • Bien couvrir les jambes avec une couverture chaude et légère réchauffera les muscles sans exercer de pression sur les jambes.

Étirement • Si une crampe survient, étirer le muscle de la jambe pendant quelques secondes et masser le mollet relaxera le muscle. L'utilisation d'un gel de massage procure une sensation de froid sur la jambe et apporte ainsi un soulagement rapide.

Tirer la pointe du pied très fort comme si vous vouliez que vos orteils touchent le tibia demande du courage, mais apporte un soulagement.

Compresse • Appliquer une compresse de vinaigre de cidre sur la région douloureuse lorsque survient une crampe. L'ajout de quelques tasses de vinaigre de cidre à l'eau du bain avant d'aller au lit peut prévenir l'apparition de crampes.

Les p'tits trucs de Louise

Je vous surprendrai peut-être en vous confiant que, depuis quelques années, je dépose sous le drap contour de mon lit un pain de savon Ivory ou un savon de Marseille. Les pieds ne doivent pas nécessairement toucher le savon ; sa seule présence a éliminé les crampes devenues plus fréquentes depuis la ménopause.

Il semble que le potassium du savon contribue à élever la température des membres inférieurs et que la chaleur du corps provoque à son tour des émanations de potassium, qui sont absorbées par la peau des jambes et des pieds, ce qui aide à empêcher l'apparition de crampes.

Il est préférable de changer le pain de savon tous les trois mois.

Même si l'efficacité de ce truc n'a pas été prouvée, j'ai tendance à y croire et je dors sur mes deux oreilles avec mon petit savon.

ECCHYMOSES

Ma grand-mère disait

On ne compte plus le nombre de fois où l'on se cognait les membres ou se frappait le front en jouant. Ma grand-mère appliquait alors quelques gouttes d'huile végétale sur l'ecchymose et massait la zone sensible dans le sens des aiguilles d'une montre afin d'activer la circulation. Ce simple massage permettait d'éliminer le sang qui s'accumulait et teintait la peau.

Croyance populaire

Le truc le plus répandu dans les familles pour faire disparaître un hématome sur le front, qui prenait peu de temps à enfler et à bleuir, était d'appliquer une pièce de monnaie. On la maintenait en place avec un bandeau ou un foulard serré autour de la tête.

Un mal... un remède

En cas de « bleu » ou ecchymose, la surface de la peau se colore rapidement et devient bleuâtre. On appelle souvent un hématome « une prune » puisque c'est une blessure qui forme généralement une petite bosse.

Appliquer un cataplasme de feuilles de laitue.

Presser légèrement la région affectée avec une compresse d'eau froide fortement salée.

Tremper les doigts dans un bol de sucre blanc et masser la peau douloureuse pour éviter la formation d'un bleu.

Afin qu'il désenfle, apposer quelques minutes sur un hématome un emplâtre d'eau et de sucre en poudre.

Appliquer sur la zone sensible de la mie de pain imbibée de vin rouge et recouvrir le tout d'une flanelle pour éviter les taches.

Les pansements compressifs ne doivent pas être appliqués plus de 10 minutes.

Un sac rempli de glaçons ou un sac de petits pois congelés soulage la douleur et limite la gravité de l'ecchymose. Appliquez la compresse froide 2 à 3 minutes sur la région douloureuse. Répétez le traitement 4 ou 5 fois au cours de l'heure qui suit.

Le froid est recommandé ; il faut donc éviter toute compresse chaude.

Si vous prenez des médicaments, par exemple de l'aspirine ou des anti-inflammatoires et que vous « marquez » facilement en vous frappant, il serait bon d'en parler à votre médecin.

CATAPLASME MAISON

Mélanger du persil frais haché à une petite quantité de beurre. Appliquer le cataplasme sur la peau meurtrie pendant une trentaine de minutes. Répéter au besoin. Le persil permet une meilleure dilatation des vaisseaux sanguins et atténue la densité de l'hématome.

Les p'tits trucs de Louise

Sous l'effet d'un choc, comme la peau a tendance à bleuir rapidement, frottez la région meurtrie avec de l'essence pure de vanille et non de l'extrait de vanille. L'ecchymose sera beaucoup moins apparente au cours des jours suivants.

Par leur intensité, certains hématomes peuvent entraîner des complications. En cas de doute, consultez un médecin.

EXCÈS DE POIDS

Ma grand-mère disait

On trouvait notre grand-maman bien rigolote ! Souffrant d'un sur-plus de poids, elle entamait une diète à quelques reprises au cours de l'année. Le régime des quatre « P » était son préféré : impossible de trouver sur la table du pain, des pâtes alimentaires, des pommes de terre et des pâtisseries jusqu'à ce qu'elle succombe à la tentation et reprenne une alimentation plus équilibrée.

À tout moment, ma grand-mère essayait de réduire des calories à l'heure des repas. Nous l'avons vue quelquefois au restaurant verser un sachet de succédané de sucre dans son café... en mangeant sa pointe de gâteau au chocolat.

Croyance populaire

Au fil des ans, on a vu naître quantité de régimes. On s'est vite aperçu qu'au moment où l'on cesse ces régimes de privations, le poids augmente de façon catastrophique.

Même si à une certaine époque les « femmes bien en chair » étaient considérées comme des personnes joyeuses et resplendissantes de santé, les femmes, pour mieux s'apprécier, avaient recours au corset pour affiner la taille. Le talent d'une bonne couturière permettait aussi de camoufler les formes trop généreuses.

Un mal... un remède

Plusieurs trucs sont populaires pour perdre du poids... avec plus ou moins de succès. Sans parler des méthodes farfelues, des diètes draconiennes et des produits à la mode, on constate que certains trucs sont connus et pratiqués par de nombreuses personnes qui veulent perdre du poids.

Boire beaucoup d'eau au cours de la journée.

Ne pas grignoter entre les repas ou devant la télévision.

Monter les marches d'un escalier en évitant l'ascenseur, marcher au grand air quotidiennement.

Savoir s'arrêter quand on n'a plus faim.

Bien mastiquer les aliments en mangeant lentement. Poser sa fourchette sur la table entre les bouchées.

Réduire la taille de l'assiette. Une petite assiette bien remplie s'avère plus appétissante qu'une grande assiette où se perdent quelques aliments.

Apporter un lunch à l'heure du midi permet d'éviter les restaurants rapides.

Breuvage chaud • Les adeptes du thé vous diront que boire une tasse de thé vert à la fin d'un repas aide à perdre du poids. Malheureusement, le thé vert n'agit pas sur les cellules graisseuses, mais terminer le repas avec un breuvage chaud, comportant à peine deux calories, constitue une bonne habitude.

Couper le sel • Goûtez aux aliments dans votre assiette avant de saler.

L'ajout d'épices, de fines herbes, de jus de citron rehausse la saveur des aliments sans y ajouter de sel.

Lors de la cuisson des aliments, utiliser des mélanges d'assaisonnement ne contenant pas de sel.

Les p'tits trucs de Louise

Il n'y a pas mille solutions ! Maigrir veut dire changer son alimentation.
Arrêter de se priver et manger

mieux ! La décision prise, se joindre à un groupe de soutien donne la motivation nécessaire pour persister dans ce changement de mode de vie qui ne s'accomplit pas toujours du jour au lendemain.

La tenue d'un journal des aliments consommés quotidiennement permet de bien cibler nos points faibles.

HALEINE

Ma grand-mère disait

L'haleine du matin évitait, selon elle, de traîner trop longtemps au lit. Ses meilleurs trucs étaient de se gargariser avec un verre d'eau chaude additionnée de jus de citron et de prendre le petit déjeuner le plus tôt possible.

Grand-maman préparait aussi un bain de bouche avec de la menthe fraîche du jardin et du vinaigre de cidre.

Elle lavait 250 ml (1 tasse) de menthe fraîche et la réduisait en purée qu'elle déposait dans un bocal en verre et couvrait avec 1 litre (4 tasses) de vinaigre de cidre. Le bocal était fermé hermétiquement et reposait dans sa grande armoire pendant deux semaines avant d'être filtré.

Elle se rinçait la bouche quotidiennement avec ce rince-bouche en utilisant 5 ml (1 c. à thé) de cette potion dans un demi-verre d'eau.

Un mal... un remède

Mâcher une branche de persil frais, très riche en chlorophylle. Après avoir craché le persil, manger une pomme.

Croquer un grain de café ou un clou de girofle après avoir mangé de l'ail atténuera cette odeur persistante.

Mâchouiller un bâton de cannelle, mais attention de ne pas le croquer à belles dents. Vous pourriez endommager vos dents et vos gencives.

Sucer une tranche de citron saupoudrée de sel.

Manger une orange ou un fruit juteux contribuera à la production de salive essentielle pour déloger la plaque dentaire souvent cause de mauvaise haleine.

Se gargariser avec un verre d'eau additionné de 5 ml (1 c. à thé) de bicarbonate de soude ou d'un filet de vinaigre de cidre.

Manger régulièrement en ne sautant pas de repas, car une bouche desséchée dégage souvent une haleine fétide.

Un test • Avant de trouver une solution à votre problème, il faudrait vérifier l'état de votre haleine. Placez vos mains en coupe autour de la bouche. Expirez... inspirez... Vous avez maintenant une idée précise de l'odeur que vous faites supporter à votre entourage.

DENTIFRICE MAISON

Mélanger une pincée d'argile verte avec de l'eau. Tremper la brosse à dents dans cette pâte et brosser les dents. L'argile verte rafraîchit l'haleine.

RINCE-BOUCHE MAISON

Amener à ébullition le jus d'un citron, 1 clou de girofle, une pincée de bicarbonate de soude et 5 ml (1 c. à thé) de dentifrice en fouettant le tout pour obtenir une texture homogène. Laisser refroidir. Ajouter une petite quantité de cette potion à un demi-verre d'eau. Utiliser comme gargarisme ou rince-bouche.

Les p'tits trucs de Louise

Vérifiez si votre hygiène dentaire est adéquate. Les caries dentaires ou des gencives en mauvaise santé causent souvent la mauvaise haleine. Brossez bien les dents, la langue et utilisez la soie dentaire.

Un bon dentifrice et un rince-bouche contribueront à donner une haleine plus fraîche.

L'halitose ou mauvaise haleine peut aussi provenir d'un problème de santé. Il serait bon de vérifier avec votre médecin.

Si la mauvaise haleine découle d'aliments consommés, la menthe, l'anis, la cardamome, les graines de fenouil et le persil sont tous des produits qui rafraîchissent naturellement la bouche. Consommez-les frais ou en pastilles.

INSOLATION

Ma grand-mère disait

Après m'avoir fait allonger à l'ombre, ma grand-mère remplissait un grand verre d'eau fraîche qu'elle couvrait d'un mouchoir plié en quatre maintenu avec une bande élastique. Grand-maman retournait rapidement le verre et le déposait, l'ouverture vers le bas, sur mon front ou sur ma tête. Les bulles montaient dans le verre comme dans une flûte de champagne. Elle promenait le verre un peu partout sur ma tête jusqu'à ce que toutes les bulles aient remonté au fond du verre. J'entendais mes cousines rire de cette technique ; néanmoins, le mal de tête disparaissait très rapidement.

Croyance populaire

Les Anciens pouvaient prévoir les coups de chaleur en observant les fourmis. Si elles activaient le pas et couraient vers les nids, on savait que la journée serait torride. Ce baromètre naturel leur indiquait qu'il serait prudent de se couvrir la tête et d'emporter une bonne quantité d'eau fraîche aux champs.

Nos mères prévoyantes nous recommandaient de jouer à l'ombre, de ne pas nous baigner après les repas afin d'éviter les crampes et les coups de chaleur. Elles posaient un toit temporaire sur le carré de sable pour nous protéger du soleil.

En cas d'insolation, le truc le plus répandu était de respirer les vapeurs d'un petit verre de vinaigre pour reprendre ses esprits.

Un mal... un remède

La prudence est nécessaire lors des journées de canicule. Les jeunes enfants et les aînés sont plus susceptibles de souffrir de déshydratation et d'une hausse de la température corporelle.

Si vous subissez un coup de chaleur qui vous mène à l'évanouissement, vous devez consulter un médecin qui jugera de la gravité de l'insolation.

Avant une activité physique • Ce n'est vraiment pas le moment de boire des breuvages contenant de la caféine ou de l'alcool. Votre « coup de chaleur » ne viendrait pas seulement du soleil !

Portez un chapeau, de préférence de couleur claire, qui couvrira bien la tête.

Portez des vêtements de coton et de polyester. Prévoyez un vêtement de rechange pour remplacer celui qui serait complètement trempé.

Attention aux petits bouts de chou • Comme moi, vous avez sûrement déjà remarqué de mignons bébés à la plage, sans aucune protection sur la tête. Leurs parents s'imaginent-ils qu'un simple duvet peut les protéger contre les rayons du soleil et la chaleur ? Couvrez bien leur tête et prévoyez un coin à l'ombre, où l'air circule bien, autant pour les jeux que pour la sieste.

Ne laissez jamais un bébé endormi dans une automobile stationnée au soleil. Lorsque vous circulez en voiture, si l'enfant s'endort,

assurez-vous que l'arrière du véhicule est bien aéré et donnez-lui à boire dès votre arrivée à destination.

Les p'tits trucs de Louise

Si vous souffrez d'une insolation, il est important de rechercher la fraîcheur en vous allongeant à l'ombre et d'abaisser ainsi la température de votre corps. Aspergez-vous d'eau froide. Pas question de plonger dans la piscine ou dans le lac pour vous rafraîchir. Réhydratez-vous en buvant à petites gorgées un jus de fruit ou de l'eau fraîche.

INSOMNIE

Ma grand-mère disait

Pour bien dormir, il ne fallait surtout pas se coucher l'estomac vide. Généralement, grand-maman nous faisait boire un petit verre de lait chaud additionné d'une cuillerée de miel. Tandis que nous étions bien allongés, elle nous racontait une histoire. Ses deux trucs ont toujours bien fonctionné avec tous les petits-enfants de la famille.

Croyance populaire

On a longtemps cru que compter des moutons avant de s'endormir permettait de trouver le sommeil rapidement. En vain, nous avons tous pratiqué cet exercice mental. Loin de nous calmer, les moutons finissaient par nous stresser en n'arrêtant pas de sauter un à un la fameuse barrière.

Un mal... un remède

Pour mieux dormir • Diluer une pincée de gingembre en poudre dans une cuillerée d'eau chaude. Ajouter du lait chaud à ce mélange.

Prendre un bain chaud avant d'aller au lit.

Pratiquer une activité calme avant de se coucher. Ce truc est spécialement efficace avec les enfants. Pour trouver le sommeil, les adultes pratiquent certaines activités plus stimulantes...

Prendre de profondes inspirations et expirer lentement.

Éviter l'alcool, la caféine et les repas trop copieux en fin de journée.

Horaire • Essayer d'établir un horaire pour le coucher et le lever, et le respecter. L'horloge biologique s'adaptera à cet horaire si vous n'y dérogez pas trop souvent.

Chambre à coucher • Aussi bien pour les enfants que les adultes, la chambre à coucher est un lieu réservé au repos. Si la chambre devient une salle de jeu, l'enfant aura plus de difficulté à s'endormir.

De même, si votre chambre fait office de bureau avec ordinateur, salle de télévision avec jeux vidéo et comptoir à grignoter, le sommeil pourrait tarder à venir.

◄•⋇ TISANES MAISON ⋇•►

Préparez une tisane avec une dizaine de feuilles de basilic et de l'eau bouillante. Laissez infuser quelques minutes avant de boire la tisane bien chaude.

Les tisanes à base de camomille ou de valériane sont aussi reconnues pour détendre l'esprit avant d'aller au lit.

Mangez un quartier de pomme ou buvez une tasse d'eau chaude dans laquelle vous aurez dissous 15 ml (1 c. à soupe) de gelée de pommes.

Dans un verre d'eau tiède, mélangez 10 ml (2 c. à thé) de miel et 10 ml (2 c. à thé) de vinaigre de cidre.

Les p'tits trucs de Louise

J'utilise deux bons trucs pour trouver le sommeil rapidement.

Je dépose une goutte d'huile essentielle de lavande sur la peau au niveau du creux de la gorge. La lavande a des propriétés apaisantes et en peu de temps mes yeux se ferment. Un sachet de lavande déposé sous l'oreiller aurait le même effet.

Voici mon truc efficace lors des périodes d'insomnie chronique : j'imagine que j'ai gagné un gros lot à la loterie. Je décide du montant exact, par exemple, 2 375 640 dollars (on a bien le droit de rêver...) et je commence à distribuer mes dons par petits lots aux membres de ma famille et à mes amis. Le truc fonctionne si bien que je me suis toujours endormie avant d'avoir pu planifier quelque achat que ce soit pour moi ! J'aime mieux la loterie que les moutons !

ONGLES

Ma grand-mère disait

Lorsque les ongles poussent rapidement... c'est signe de bonne santé !

Si elle constatait que nos ongles étaient mous, nous avions droit à des desserts à base de gélatine. C'était notre remède préféré.

Son deuxième truc consistait à frotter un morceau d'oignon cru quelques fois par jour sur nos ongles. Le traitement n'était pas douloureux... mais nous préférions le dessert !

Croyance populaire

Contrairement à ce que disaient nos grands-mères, les taches blanches sur les ongles ne signifient pas automatiquement un manque de calcium. Souvent, ces taches apparaissent à la suite de manucures ou à cause de l'emploi de produits trop décapants. Si le problème persiste, consultez votre médecin qui en déterminera la raison.

Par contre, si une tache blanche se forme sur l'ongle du pouce de la main droite, attendez-vous à un beau cadeau dans un avenir prochain.

Saviez-vous qu'on a longtemps cru qu'il était malchanceux de se couper les ongles un dimanche ou un vendredi ? Cette habitude était un présage de maladie, le vendredi ou le dimanche suivants.

Un mal... un remède

Préparez une infusion avec deux ou trois tiges d'aneth. Plongez vos ongles dans ce bain encore chaud, mais non bouillant, pendant une quinzaine de minutes.

Coupez régulièrement vos ongles. Ils pousseront davantage et seront en santé.

Petites peaux • Ne jouez pas avec les petites peaux autour des ongles et surtout ne les rongez pas. Elles protègent les ongles contre les bactéries et les champignons. Frottez régulièrement le pourtour des ongles avec de l'huile d'olive ou une crème hydratante pour prévenir le dessèchement.

Pour soulager la peau sensible contournant l'ongle, il suffit de la couvrir d'une tranche de pain imbibée de lait. Vous devrez porter un bandage toute une nuit.

Ongles mous • Mélangez 30 ml (2 c. à soupe) d'huile d'olive tiède à 15 ml (1 c. à soupe) de jus de citron. Laissez vos ongles tremper dans cette préparation pendant quelques minutes avant de les masser du bout des doigts.

Le jus d'oignon et l'alcool à friction ont la propriété de durcir les ongles. Passez un morceau d'oignon sur vos ongles ou une ouate imbibée d'alcool à friction trois à quatre fois par jour.

Plongez vos ongles dans un petit bain d'eau chaude vinaigrée. En plus de les renforcer, le vinaigre les blanchira.

Utilisez un vernis durcisseur pendant quelques semaines.

Ongles cassants • Si vos ongles cassent parce qu'ils sont trop secs, l'utilisation d'une bonne crème à main, matin et soir, améliorera leur état.

L'huile d'argan est reconnue pour améliorer la condition des ongles cassants. Mélangez 30 ml (2 c. à soupe) d'huile, une gousse d'ail écrasée et quelques gouttes de jus de citron. Laissez tremper vos ongles dans cette préparation 15 minutes par jour.

Plongez vos ongles dans un bol d'eau chaude légèrement salée une dizaine de minutes chaque jour, pendant une semaine. Ils reprendront rapidement de la vigueur.

Frotter les ongles fragiles avec une gousse d'ail pelée.

Appliquer du jus de citron sur les ongles cassants, matin et soir, pendant une dizaine de jours.

Pour toute la durée de ces traitements, il est préférable de ne pas appliquer de vernis à ongles.

Ongles jaunes ou noirs • Si vos ongles ont jauni à cause du vernis que vous y appliquez, un bon brossage avec de la pâte dentifrice les éclaircira. Appliquez toujours une couche de vernis de base avant d'utiliser un vernis coloré.

Pour nettoyer les ongles noirs ou jaunes si embarrassants, utilisez un coton-tige trempé dans de l'eau oxygénée (peroxyde) ou du jus de citron. Un bain additionné de bicarbonate de soude nettoie aussi les ongles tachés.

Manucure • Mélangez le jus d'un demi-citron à 250 ml (1 tasse) d'eau chaude. Trempez le bout des doigts dans ce mélange pendant 5 minutes. Rincez et séchez en tamponnant. Repoussez les cuticules avec un bâtonnet. Pour renforcer les ongles, frottez-les de haut en bas avec le zeste du citron. Polir.

Utilisez une lime d'émeri pour vos ongles. La lime de métal risquerait de les dédoubler. Limez-les toujours délicatement en évitant le va-et-vient, qui peut provoquer des fendillements et des déchirures.

Vernis à ongles • La tentation est souvent forte de gratter le vernis avec un autre ongle. Mauvaise idée, car vous enlevez la couche supérieure naturelle de l'ongle et il deviendra plus friable. Retirez le vernis avec un dissolvant sans acétone.

Utilisez une boule d'ouate ou une feuille d'assouplissant textile usagée imbibée de dissolvant pour enlever le vernis à ongles.

Pour que le vernis s'écaille moins vite, attendez de 5 à 8 minutes avant d'appliquer la seconde couche de vernis.

Ne laissez pas le vernis sécher au soleil. La finition deviendrait granuleuse.

Si vous ne l'utilisez pas régulièrement, conservez votre vernis à ongles dans le réfrigérateur. Il restera liquide et sera plus facile à appliquer.

Appliquer de la vaseline sur les filets du col et du bouchon d'une bouteille de vernis les empêche de coller. Vous n'aurez plus aucun problème à l'ouvrir.

Les p'tits trucs de Louise

Pour avoir de beaux ongles, en premier lieu, il faut les protéger.

Dans la maison, l'utilisation de gants de latex, de vinyle ou de caoutchouc les préservera. Si vous avez tendance à percer rapidement les gants, glissez une boule d'ouate dans chacun des doigts. Protection assurée pour les ongles et les gants.

Avant le début de vos travaux de jardinage, portez des gants ou grattez un pain de savon avec vos ongles. Les travaux terminés, le nettoyage de vos mains sera beaucoup plus facile, et vos ongles retrouveront rapidement leur blancheur.

Appliquez une crème hydratante matin et soir sur vos mains jusqu'au bout des doigts. Ne négligez pas les ongles. Une bonne hydratation les conserve en santé.

Un bain d'huile d'olive tiède ou d'huile d'amande douce redonne de la souplesse aux ongles secs.

OSTÉOPOROSE

Ma grand-mère disait

Une voisine de ma grand-mère qu'on appelait « la petite vieille » était toujours appuyée sur sa canne ; elle semblait rapetisser de mois en mois. Pour soulager ses vieux os, ma grand-mère lui suggérait de réduire en poudre la coquille des œufs et de l'ajouter à son alimentation. On n'a jamais su si elle suivait les conseils de ma grand-mère. À la suite d'une chute, on a dû l'hospitaliser et elle s'est éteinte quelques mois après une fracture de la hanche et du bras.

Croyance populaire

Les Anciens appelaient l'ostéoporose « la faiblesse des os ». Pour remédier au problème, ils brûlaient des os d'animaux, particulièrement les os des loups, les filtraient et en ajoutaient une petite quantité à un liquide qu'ils faisaient boire au malade qui souffrait de fractures et de courbatures.

C'est par la sudation que les Amérindiens soignaient les maux dans les os causés par l'arthrite et l'ostéoporose. La chaleur et la vapeur apportaient un soulagement. Ce traitement peut être pratiqué aujourd'hui... dans une salle de bains chaude et humide où peuvent se détendre les articulations souffrantes.

Un mal... un remède

Prévenir l'ostéoporose • Incluez des produits laitiers dans votre alimentation. Le beurre et le fromage sont de bons apports en calcium.

À vos sauces et à vos potages, ajoutez 5 ml (1 c. à thé) de lait en poudre écrémé. Excellent apport en calcium sans gras.

Limitez la consommation d'alcool, de caféine, de viandes grasses, de sel.

◄•⧉ PRÉPARER UNE EAU RICHE EN CALCIUM ⧉•►

Faire macérer un œuf frais avec sa coquille dans le jus d'un citron pendant la nuit. Au matin, jeter l'œuf passablement amolli par le jus de citron. Diluer le jus dans la même quantité d'eau. Boire cette eau possédant une forte teneur en calcium et minéraux au cours de la journée. Répéter le traitement pendant quelques mois.

Les p'tits trucs de Louise

Le vinaigre de cidre qu'on appelle souvent « élixir de jeunesse » est régulièrement suggéré pour prévenir l'ostéoporose. On peut se procurer chez les pomiculteurs la « mère de vinaigre ». Dans un petit verre d'eau, ajoutez une cuillerée de mère de vinaigre et de miel et buvez cette potion tous les jours.

Le breuvage ne semble pas des plus appétissants. En effet, la mère de vinaigre présente un voile léger qui se transforme en une masse gélatineuse. Cette bactérie serait des plus efficaces pour notre organisme. Vous pouvez filtrer la mère de vinaigre ou l'utiliser telle quelle.

◄•⧉ PRÉPARER DE LA MÈRE DE VINAIGRE ⧉•►

À partir d'un fragment de mère de vinaigre récupéré de la première bouteille que vous avez achetée, vous pouvez en fabriquer une deuxième bouteille. Dans un vinaigrier, versez du cidre (environ ½ litre ou 2 tasses), ajoutez ¼ litre (ou 1 tasse) de vinaigre de cidre de bonne qualité et déposez, sur la surface du liquide, un fragment de la masse gélatineuse de la mère de vinaigre prélevée d'une bouteille de vinaigre de cidre. Couvrez et conservez à la température ambiante, si possible à la noirceur pendant quelques jours.

Un voile mycodermique se formera à la surface de la préparation qui tournera en vinaigre. Vous pourrez utiliser cette mère de vinaigre pour votre traitement dans 4 à 5 semaines.

PELLICULES

Ma grand-mère disait

« Il neige sur ton col ! » disait grand-maman. Aussitôt, elle faisait bouillir des épinards pendant quelques minutes et les déposait en cataplasme sur ma tête. Toute la famille rigolait ! Elle laissait agir le traitement une dizaine de minutes avant de frictionner le cuir chevelu avec cette mixture comme avec un shampooing puis elle rinçait mes cheveux. La comédie ne s'arrêtait pas là, puisqu'elle répétait ce traitement pendant quelques jours.

Un mal... un remède

On reconnaît facilement qu'une personne présente des pellicules au fait qu'elle porte souvent les mains à la tête pour une opération de grattage. Plusieurs traitements donnent de bons résultats.

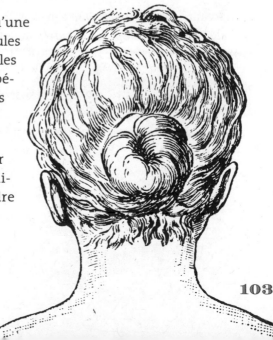

Rincer les cheveux et le cuir chevelu avec une eau additionnée de vinaigre de cidre deux fois par semaine.

Réduire en purée une gousse d'ail additionnée de quelques gouttes d'huile d'olive. Réchauffer la purée dans une casserole et appliquer sur le cuir chevelu pendant une heure ou deux. Laver les cheveux. Deux applications devraient suffire à éliminer les pellicules.

Un yogourt nature additionné de jus de citron appliqué sur le cuir chevelu et dans la chevelure donne aussi de bons résultats. Laisser agir une dizaine de minutes avant de laver les cheveux.

Une friction avec du jus de citron apporte un soulagement au cuir chevelu irrité. Répéter l'opération plusieurs fois par semaine.

Les feuilles de pissenlit enrayent les pellicules. Passer les feuilles bien lavées dans une centrifugeuse. Appliquer le jus de pissenlit sur le cuir chevelu. Laisser agir une dizaine de minutes avant de laver les cheveux.

L'eau de mer est excellente pour éliminer les pellicules. Profitez des vacances pour plonger la tête dans la mer et bien masser le cuir chevelu.

Répétez le traitement à la maison en ajoutant une poignée de sel de mer à un litre (4 tasses) d'eau. Versez sur le cuir chevelu et laissez le produit agir quelques minutes avant de rincer à l'eau claire.

Avant de laver vos cheveux, massez le cuir chevelu avec une poignée de sel de mer. Répétez l'opération deux fois par semaine.

ÉLIMINER LES PELLICULES

Amener à ébullition 250 ml (1 tasse) de thym frais dans un litre (4 tasses) d'eau. Laisser bouillir 5 minutes, puis laisser reposer 10 minutes. Filtrer l'infusion. Ajouter 30 ml (2 c. à soupe) de vinaigre de vin ou de cidre. Frictionner le cuir chevelu avec cette préparation tous les jours. Laisser sécher à l'air libre.

Les p'tits trucs de Louise

Évitez le stress, souvent cause de pellicules. De bonnes nuits de sommeil et quelques rayons de soleil seront vos alliés.

Un lavage plus fréquent des cheveux éliminera les champignons responsables des pellicules.

Dissolvez un comprimé d'aspirine dans une cuillerée d'eau. Appliquez sur le cuir chevelu après avoir lavé les cheveux, alors que le cuir chevelu est encore chaud et humide, pour faciliter la pénétration du produit.

Quel que soit le traitement que vous adoptiez, poursuivez-le pendant une semaine ou deux après la disparition des pellicules. Vous aurez ainsi plus de chances d'éliminer le champignon responsable de ce problème.

POUX

Ma grand-mère disait

Grand-maman montrait son mécontentement lorsqu'au retour de l'école nous n'arrêtions pas de nous gratter la tête. Selon elle, il n'y avait qu'un remède pour éliminer les poux! Après nous avoir fait asseoir par terre sur de grandes feuilles de papier journal, elle passait et repassait le petit peigne fin entre nos cheveux pour déloger les poux. Ma grand-mère nous affirmait sans cesse que si ce traitement n'agissait pas... on devrait couper ou même raser nos cheveux. La peur des ciseaux nous incitait à subir ce dépouillage en limitant nos lamentations.

Croyance populaire

Certaines croyances relèvent de la superstition ! À une certaine époque, les gens portaient souvent la même chemise jour et nuit, puisqu'on ne se lavait pas tous les jours. Les plus riches désiraient posséder plusieurs chemises, mais exigeaient que la nouvelle chemise ne soit pas confectionnée un vendredi. Le vendredi étant toujours considéré comme un jour malchanceux, un mauvais jour, où il ne fallait pas entreprendre de nouveaux projets, on croyait qu'une chemise fabriquée cette journée-là attirerait les poux.

Un mal... un remède

Pour faire la chasse aux poux, avant d'utiliser des produits à base de pesticides, on peut essayer différents produits naturels.

Verser du vinaigre sur les cheveux et sur le cuir chevelu et recouvrir d'une serviette chaude pendant quelques heures. Répéter le traitement une deuxième fois au cours de la semaine.

Couvrir les cheveux de mayonnaise ou d'huile d'olive et porter un bonnet de bain pendant quelques heures. Passer un peigne fin pour déloger les lentes et les poux.

Plusieurs produits à base d'huiles essentielles, comme l'huile de théier, la citronnelle, l'huile d'eucalyptus font la guerre aux poux. Ils sont disponibles dans les boutiques de produits naturels.

⟶•⟨ TRAITEMENT MAISON ⟩•⟶

Enduire les cheveux d'une crème très riche comme le beurre de karité ou de revitalisant très épais pour les cheveux. Couvrir la tête avec un bonnet de bain en caoutchouc très serré. L'enfant doit porter ce bonnet pour dormir. Lorsqu'il est bien endormi, enduire ses sourcils et ses cils de vaseline. Après douze heures, les poux et les lentes ne survivent pas. Une douche au lever facilite l'enlèvement du produit et des lentes.

Les p'tits trucs de Louise

Le meilleur truc est la prévention : les poux détestent l'odeur de la lavande. Lavez la tête des petits avec un shampooing à la lavande, puis déposez quelques gouttes d'huile essentielle de lavande dans le cou ou près des oreilles. Vous pouvez aussi ajouter quelques gouttes de cette huile à votre shampooing régulier.

Il est recommandé d'utiliser l'eau chaude pour le lavage de la literie, des serviettes de toilette et des vêtements pendant toute la durée du traitement.

N'oubliez pas de désinfecter les peignes et les brosses à cheveux de toute la famille en les lavant avec une eau légèrement javellisée.

RONFLEMENT

Ma grand-mère disait

Au petit déjeuner, si grand-maman semblait maussade, nous savions qu'elle avait « joué du coude toute la nuit » et qu'elle avait mal dormi à cause des ronflements de mon grand-père. Même nous, couchés dans les chambres d'amis, entendions cette musique bruyante dès que grand-papa s'endormait.

Un jour, elle avait cousu une pochette dans le dos de sa veste de pyjama et y avait placé une balle de tennis. Dès que mon grand-père se couchait sur le dos, position idéale pour émettre des ronflements sonores, il était dérangé par cette balle et changeait automatiquement de position.

Croyance populaire

On a longtemps cru que seuls les dieux ronflaient. Les femmes d'une autre époque excusaient leur mari et se trouvaient peut-être chanceuses de partager leur lit. Au Québec, lorsqu'on entendait un ronfleur, on disait : « Il dort du sommeil du juste. »

Lui dormait... elle rageait !

Un mal... un remède

Pour diminuer le ronflement, plusieurs habitudes de vie doivent être changées.

Perdre le poids en trop.

Éviter l'alcool et les grignotages dans la soirée.

Arrêter de fumer. La fumée irrite la gorge et gêne le passage de l'air.

Élever la partie supérieure du lit pour surélever la tête. Par contre, il faut éviter l'empilage d'oreillers sous la tête.

Éviter les somnifères, qui peuvent même aggraver le ronflement.

Consulter • Si vous changez votre mode de vie et que les ronflements persistent et atteignent un volume insupportable, il serait bon de consulter un médecin pour vérifier si vous souffrez d'apnée du sommeil.

On peut aussi soulager un ronfleur avec un traitement au laser. Toute la famille pourrait bénéficier de ce traitement.

Exercices • Pour contrôler un ronflement modéré, vous pouvez pratiquer plusieurs exercices pour fortifier la gorge, les muscles de la langue et de la mâchoire, facilitant ainsi la respiration.

Tirer la langue hors de la bouche et tenir cette position le plus longtemps possible. Continuer cet exercice en essayant, cette fois, de toucher le nez avec le bout de la langue, de toucher le menton. Répéter une dizaine de fois ces exercices en les alternant.

Pratiquer des vocalises comme les chanteurs professionnels. Ces exercices répétés tous les jours fortifient la gorge.

Si vous n'obtenez pas les résultats escomptés... vous aurez au moins réussi à faire rire toute la famille.

Les p'tits trucs de Louise

Ce petit truc bien simple peut réduire les ronflements de votre compagnon. Sifflez... je sais qu'il n'est pas toujours facile de siffler très fort... j'ai essayé plusieurs fois !

Par contre, si vous pouvez émettre un sifflement régulier et assez fort, votre ronfleur dérangé par ce bruit mettra fin à ses ronflements.

Il est fort possible que vous ayez à répéter cette opération quelques fois au cours de la nuit.

Dormir sur le côté prévient le ronflement. La langue change de position et les tissus de la gorge sont moins enclins à arrêter l'air.

SOINS DU VISAGE

Ma grand-mère disait

Grand-maman nous faisait bien rire quand elle préparait sa recette de *cold cream*. Comme toutes ses sœurs, elle ne jurait que par ses petits pots de crème pour conserver un « teint de porcelaine ». Dans un bol, elle fouettait à la main un jaune d'œuf et 30 ml (2 c. à soupe) de jus de citron en ajoutant peu à peu 125 ml (½ tasse) d'huile d'olive ou une bonne huile végétale. Grand-maman utilisait cette crème matin et soir sur son visage et déposait précieusement son petit pot au frais dans le réfrigérateur. Sans le savoir, ma grand-mère détenait une bonne recette de mayonnaise !

Croyance populaire

Cette croyance est extrêmement tenace : si la future maman ressentait des émotions fortes, comme une très grande peur, durant la grossesse, le bébé naîtrait avec une tache de vin (angiome) sur le corps ou le visage. On allait jusqu'à dire que si elle mangeait trop de fraises durant sa grossesse, le nourrisson aurait une tache en forme de fraise, souvent sur le visage. Encore de nos jours, ces superstitions persistent !

NOUS attirons l'attention du lecteur, dans un intérêt mutuel, sur les Spécialités suivantes du Dr. Ed. Morin ; spécialités éprouvées, recommandables et qui donnent les meilleurs résultats.

TAROL

Sirop à base de Goudron et d'Huile de foie de Morue

Recommandé par la Faculté de médecine pour les maux de Gorges et des Poumons.

C'est un remède de famille qu'il est prudent d'avoir toujours à la maison en cas de rhumes.

BROMA

Le tonique reconstituant du sang et des nerfs.

Prescrit avec succès contre Dépression Nerveuse, la Faiblesse, la Dyspepsie, les Troubles de l'Estomac, etc. Pris avant les repas, il excite l'appétit et après les repas il aide la digestion.

Teintures Electriques

Les Teintures Electriques donnent la plus grande satisfaction aux personnes qui suivent les directions. Elles donnent des couleurs brillantes et durables dans toutes les nuances en les employant concentrées ou diluées suivant le cas.

Le même paquet teint également la laine, le cotton les effets mixtes.

CREME DES DAMES PARISIENNES

Embelli le teint, nourrit la peau.

Fait disparaitre sûrement : rides, rougeurs, masque, boutons à tête noire, guérit la peau farineuse ou huileuse, les éruptions et les irritations.

Très recommandée pour le masssge du visage, du cou et du buste.

50c. la bouteille dans toutes les bonnes pharmacies.

Pour envoi par malle ajouter 15c. pour postage

Un mal... un remède

Peau très sèche • Écraser la pulpe d'un demi-avocat, ajouter le jus d'un demi-citron et deux cuillerées de yogourt. Étaler sur la peau jusqu'à ce que le masque sèche ou pendant une vingtaine de minutes avant de rincer à l'eau tiède.

Écraser une banane, ajouter 15 ml (1 c. à soupe) de miel. Appliquer sur le visage et laisser agir 20 minutes avant de rincer à l'eau tiède.

Peau grasse • Réduire des fraises en purée et les ajouter à un blanc d'œuf battu. Appliquer le masque sur le visage et laisser reposer une quinzaine de minutes avant de bien rincer à l'eau froide.

Appliquer du yogourt nature sur le visage pendant une vingtaine de minutes.

Écraser la pulpe d'un concombre et la passer au mélangeur avec un peu de yogourt. Appliquer sur le visage pendant une quinzaine de minutes, de préférence à l'heure du bain. L'humidité de la pièce permettra au masque de mieux pénétrer dans la peau.

Teint brouillé ou terne • Réduire en purée la pulpe d'un demi-ananas et l'appliquer sur le visage. Conserver le masque une vingtaine de minutes. Rincer abondamment à l'eau tiède.

Mélanger le jus d'un demi-citron et un peu de miel pour fabriquer une pâte facile à appliquer sur le visage. Laisser agir 20 minutes avant de rincer à l'eau tiède.

Tonifier • Le vinaigre donne de bons résultats pour traiter les peaux grasses, nettoyer les pores de la peau, affiner sa texture et la tonifier. Il est préférable d'utiliser le vinaigre de cidre. On y ajoute la même quantité d'eau distillée et une bonne poignée de fleurs ou d'herbes séchées à votre choix (lavande, romarin, sauge...). Passez ce vinaigre avec une compresse démaquillante sur le visage nettoyé.

Peaux mortes • Le miel est aussi un excellent produit pour faire disparaître les petites peaux mortes sur le visage, particulièrement sur les ailes du nez. Frottez doucement l'épiderme une fois par semaine, avec du miel granuleux, en effectuant des mouvements circulaires.

Points noirs (comédons) • Écraser de la chair de papaye et l'appliquer sur le visage en évitant les contours des yeux et de la bouche. Laisser agir 15 minutes avant de rincer.

Imbiber une compresse démaquillante de jus de citron. La passer sur les comédons et laisser sécher 15 minutes. Répéter ce traitement trois fois par semaine. Le citron agira sur le gras qui cause les points noirs et ils disparaîtront doucement.

Pour nettoyer une peau présentant plusieurs comédons, utiliser un mélange de bicarbonate de soude et d'eau. Attendre quelques minutes avant de bien rincer.

Pores dilatés • Un blanc d'œuf battu en neige additionné de quelques gouttes de jus de citron appliqué sur le visage resserre les pores dilatés.

Rougeurs • Mélanger à parts égales du jus extrait d'un melon d'eau et d'un concombre. Appliquer cette solution sur le visage matin et soir.

Pour atténuer les rougeurs • On peut calmer les rougeurs sur les joues en déposant quelques rondelles de concombre sur les pommettes. Laisser agir une quinzaine de minutes.

Taches de rousseur • Verser 85 ml (⅓ tasse) d'eau de rose et la même quantité d'eau de fleurs d'oranger dans un bol. Faire dissoudre 2 ml (½ c. à thé) de borate de soude (borax). Utiliser cette solution pour nettoyer la peau couverte de taches de rousseur.

Plonger un bouquet de persil dans 500 ml (2 tasses) d'eau bouillante. Laisser infuser pendant 10 minutes. Appliquer la lotion régulièrement en insistant sur les taches de rousseur.

Conserver ces solutions au réfrigérateur et les utiliser tous les soirs sur une peau nettoyée.

Les p'tits trucs de Louise

Donnez un coup d'éclat à votre peau en préparant un masque à la framboise. Écrasez des framboises mûres. Appliquez sur le visage et laissez agir une trentaine de minutes. Nettoyez et rincez avec une eau minérale.

Si vous désirez un teint de pêche, pourquoi ne pas utiliser ce fruit qui adoucira la peau et lui donnera de l'éclat ? Mélangez la pulpe de deux pêches bien mûres avec 60 ml (¼ tasse) de sucre granulé, 60 ml (¼ tasse) de gingembre frais et 15 ml (1 c. à soupe) de cannelle. Le sucre provoque une légère exfoliation de la peau, le gingembre réduit les rougeurs, la cannelle dilate les pores et aide la chair de la pêche à mieux pénétrer dans l'épiderme. Appliquez le masque sur le visage et laissez agir durant une dizaine de minutes avant de rincer à l'eau tiède.

Pour obtenir des résultats concluants, l'application de tous les masques proposés devrait être répétée deux fois par semaine pendant un mois.

VARICES

Ma grand-mère disait

Ma grand-mère tenait de sa mère un vieux truc pour éviter l'apparition des varices. Elle marchait cinq minutes sur la pointe des pieds tous les soirs avant de se mettre au lit, affirmant que les ballerines ne souffraient jamais de « jambes lourdes ». C'était plutôt rigolo de voir notre grand-mère jouer au petit rat d'opéra !

Croyance populaire

Dès l'apparition d'une première varice, on recommandait aux femmes de porter des bas plus épais avec des jarretelles pour empêcher que les varices deviennent plus volumineuses. Pour faciliter la circulation, on devait avoir les jambes étendues et les pieds dans une position élevée le plus d'heures possible par jour. Des suggestions pas toujours faciles à suivre pour les mères de famille très occupées !

Un mal... un remède

Pour prévenir les varices, il faut améliorer la circulation veineuse.

Éviter les bains dans une eau trop chaude. Les saunas et les bains tourbillons à température élevée ne sont pas recommandés.

Éviter la station assise prolongée, surtout avec les jambes croisées. Éviter aussi de rester debout trop longtemps.

Le soir au lit ou sur le divan, adopter une position pour surélever les jambes.

Surélever le pied du lit de quelques centimètres si l'on ne souffre pas de troubles cardiaques ou si la respiration est facile durant la nuit.

Boire plusieurs verres d'eau par jour.

Porter des bas antifatigue ou élastiques conçus pour soulager les varices et faciliter la circulation sanguine.

Les antécédents familiaux jouent un rôle considérable dans l'apparition des varices. Si vos parents ont souffert de varices, vous avez plus de chances d'en souffrir aussi. Il est alors important de porter une attention toute particulière à vos jambes.

Des douches froides sur les jambes en débutant par les pieds et en remontant lentement jusqu'aux cuisses améliorent la circulation sanguine.

◄•◊ COMPRESSES MAISON ◊•►

Pour soulager les varices, appliquez des compresses de vinaigre de cidre dilué dans la même quantité d'eau tiède sur les jambes que vous gardez surélevées pendant une quinzaine de minutes, matin et soir. Pour compléter le traitement, buvez deux fois par jour un petit verre d'eau additionnée de 10 ml (2 c. à thé) de vinaigre de cidre. L'ajout d'un filet de miel rend la boisson plus appétissante.

Pour lutter contre les varices, massez les jambes deux à trois fois par jour avec une huile essentielle de cyprès appliquée en mouvements légers et circulaires.

Les p'tits trucs de Louise

Sans souffrir de varices, il m'arrive d'avoir les jambes lourdes à la suite d'un long trajet en voiture ou lors d'un voyage en avion. Il est très important de « se dégourdir les jambes » toutes les deux heures. Le vieux truc de ma grand-mère s'avère alors efficace pour rétablir la circulation sanguine. Vous ne serez donc pas surpris de me voir à une halte routière, appuyée sur le cadrage de la portière de l'automobile, exécuter des flexions et des extensions sur la pointe des pieds. Et me revoilà en route pour 200 autres kilomètres !

4

SOULAGER
ET TRAITER

Ta mère t'envoye ça pour Donalda. C'est de la moutarde, pour faire une mouche, de la graine de lin pour une tisane, pis cette bouteille-là, icit', c'est du sirop de navet. Rien de meilleur pour elle.

Claude-Henri Grignon, *Un homme et son péché*

Je pourrais bien lui poser des mouches noires sur le dos, et peut-être ça lui tirerait le sang et que ça la soulagerait pour un temps. Ou bien je pourrais lui donner une boisson faite avec des rognons de castor : c'est bon pour les malades de même, c'est connu.

Louis Hémon, *Maria Chapdelaine*

ALLAITEMENT

Ma grand-mère disait

Je n'ai pas souvenir qu'on parlât d'allaitement chez ma grand-mère. Quand nous apercevions une de mes tantes s'asseoir dans un fauteuil à l'écart et coller son bébé contre elle, je devenais curieuse et posais des questions à ma grand-mère, qui me répondait simplement : « Elle nourrit son enfant. » Un jour, j'ai eu connaissance que ma grand-mère suggérait à ma tante d'épingler un petit bout de ruban à la bretelle de son soutien-gorge correspondant au sein qui avait nourri le bébé. Ce pense-bête rappelait à ma tante par quel sein elle devait commencer le prochain allaitement.

Croyance populaire

L'allaitement a longtemps été considéré comme une méthode contraceptive. En effet, plusieurs femmes croyaient pouvoir éviter une grossesse en continuant d'allaiter un bébé pendant plusieurs mois. Cette méthode pour « empêcher la famille » n'était pas toujours efficace puisqu'à la même époque fourmillaient au Québec de nombreuses familles. On constatait souvent la naissance de deux enfants en moins de quinze mois.

Un mal... un remède

Pour contrer une insuffisance de lait

• Manger un petit yogourt ou boire un verre de lait à chaque tétée.

Ajouter du fenouil dans votre assiette.

Boire une bière sans alcool est un vieux truc de grand-mère.

Boire de l'eau, des jus entre les repas.

Fendillement • En cours d'allaitement, il arrive que le mamelon se fendille et présente des crevasses. Après chaque tétée, il suffit d'appliquer une couche épaisse de miel sur le mamelon ou de le frotter avec un peu de lait maternel pour prévenir et guérir les fendillements.

Engorgement • Pour diminuer l'engorgement des seins lorsque vous décidez de cesser l'allaitement, quelques trucs peuvent vous aider.

Masser les seins avec de la vaseline camphrée ou de l'alcool camphré.

Appliquer des cataplasmes de persil frais haché.

Diminuer la lactation progressivement en alternant l'allaitement avec des biberons. Pour que le bébé accepte plus facilement le biberon, passer la tétine sous l'eau chaude ou dans un peu de lait maternel réchauffé avant de l'insérer dans sa bouche. Un leurre pour calmer un bébé capricieux.

Des compresses chaudes soulagent l'engorgement des seins.

Des feuilles de chou fraîches apposées sur le sein diminuent l'enflure. Renouveler l'application lorsque la feuille est ramollie.

Les p'tits trucs de Louise

Allaiter son bébé ne devrait pas être douloureux. La posture du bébé doit être correcte.

Installez-vous confortablement dans un bon fauteuil, un tabouret sous les pieds. Trouvez la posture qui vous convient le mieux et soutenez votre dos pour éviter les douleurs musculaires.

Pour ouvrir la bouche du bébé, effleurez ses lèvres avec votre mamelon ; il reconnaîtra rapidement ce petit signe et ouvrira rapidement la bouche.

Assurez-vous que le bébé prenne dans sa bouche une partie de l'aréole du sein et non uniquement le bout du mamelon qui doit être dirigé vers le palais.

ANÉMIE

Ma grand-mère disait

Encore aujourd'hui, je me souviens des petites potions stimulantes que ma grand-mère appelait « un tonique ». Les recettes et le traitement variaient selon les saisons et les herbes disponibles. Sa tisane préférée était à base de petites branches d'épinette rouge, d'écorce de sapin blanc et d'écorce d'épinette blanche en parties égales. Grand-maman ajoutait de l'eau bouillante et faisait mijoter le tout une vingtaine de minutes avant de filtrer la tisane. Une tasse de cette tisane tous les jours semblait la revigorer.

Croyance populaire

Voici un remède des plus bizarres. Les Anciens prenaient une pomme, y plantaient cinq clous de fer (ils ne connaissaient pas les clous en acier galvanisé) et les y laissaient pendant une douzaine d'heures. Ils enlevaient les clous et croquaient à belles dents dans la pomme enrichie de fer. Après quelques jours, cet apport de fer dans l'organisme leur redonnait des forces.

L'huile de foie de morue a été le remède le plus populaire pour contrer l'anémie et faire provision d'énergie avant l'hiver. Les plus chanceux l'avalaient en gélule... les autres se pinçaient le nez et prenaient un grand « respir » avant d'ingérer cette huile au goût des plus désagréables.

Dans la littérature, on parle souvent de jeunes filles faibles, fragiles, au teint cireux, à la démarche lente et manquant de forces et de gaieté dans la vie.

On recommandait d'effectuer un séjour à la campagne, à la montagne ou à la mer. Les exercices, la marche, la baignade, les longues nuits de sommeil faisaient partie du traitement le plus populaire. On promettait qu'à leur retour, les yeux retrouveraient leur brillant,

les lèvres leur incarnat, les joues leur couleur et qu'elles seraient éclatantes de santé et de beauté.

En apéritif, l'absinthe était suggérée pour contrer la faiblesse.

Un mal... un remède

Si vous croyez aux vertus de l'huile de foie de morue, sachez qu'on trouve maintenant sur le marché de l'huile désodorisée beaucoup plus facile à ingérer.

Les végétariens doivent surveiller leur taux de fer. L'ajout de persil haché frais et de jus de citron à leur assiette peut pallier un manque de fer.

◄•❧ TISANE MAISON ❧•►

Dans un litre d'eau bouillante, ajouter 500 ml (2 tasses) de cresson haché. Couvrir et laisser mijoter une quinzaine de minutes à feu doux. Filtrer la tisane. Boire une tasse de cette potion le matin à jeun et une deuxième tasse au cours de l'après-midi. Poursuivre le traitement pendant quelques jours et répéter au besoin.

Les p'tits trucs de Louise

Pour contrer l'anémie, nous savons qu'il faut manger des aliments riches en fer. Contrairement à la croyance populaire, les épinards de Popeye ne sont pas les champions dans cette catégorie. Le boudin, les abats, le foie, le rognon sont très riches en fer. Les viandes sont aussi une bonne source de fer.

Ajoutez à votre alimentation des fruits et des légumes riches en vitamine C (agrumes, chou, etc.). Ils facilitent l'absorption du fer d'origine végétale.

BRÛLURES

Ma grand-mère disait

Si on se brûlait contre une casserole chaude, grand-maman coupait une tranche de pomme de terre crue et frottait la peau rougie. Le soulagement était presque instantané. Le deuxième truc très populaire dans notre famille était de frotter la brûlure avec un pain de savon sous un filet d'eau froide.

Croyance populaire

Les cuisiniers se brûlent les doigts assez fréquemment. Un des trucs les plus bizarres et populaires dans les cuisines est de placer la brûlure sur le lobe de l'oreille. Il semble que la douleur s'apaise en quelques secondes.

On recommandait aussi d'enduire la brûlure de gelée de groseilles et de la couvrir d'un linge. Il semble que ce remède ne laisse aucune cicatrice.

Dans les fermes, la chaux était populaire pour soulager les brûlures. On la mélangeait avec du saindoux et l'on couvrait d'un pansement.

Un mal... un remède

À une certaine époque, les recettes pour soulager les brûlures superficielles étaient nombreuses. Elles ne sont pas nécessairement indiquées puisqu'elles peuvent infecter la blessure. Après quelques recherches, on s'aperçoit que pendant de nombreuses années on étalait à peu près n'importe quelle substance sur une brûlure. Par exemple :

• du beurre (il n'est pas recommandé d'appliquer un corps gras sur une brûlure) ; du dentifrice ; une tranche de tomate ; de la laitue ;

• une tranche de concombre ; un blanc d'œuf battu en neige ; une tranche de cantaloup ; du lait bouilli et refroidi ; une tranche d'oignon ;

• de la farine mélangée à de la mélasse pour former une pâte épaisse ; de l'eau salée.

Au moment de la floraison, cueillez les pétales des fleurs de lys que vous déposerez dans une bouteille à large goulot et couvrirez d'huile d'olive. Ces pétales appliqués sur la brûlure amèneront un soulagement immédiat et faciliteront la guérison.

Le miel est aussi un produit populaire, et puisqu'il est un antiseptique naturel, il régénère la peau douloureuse.

Une vieille recette qui date de plus d'un siècle a donné d'excellents résultats d'après les médecins de l'époque. On imprégnait la brûlure d'huile d'olive et on la saupoudrait de fécule de pomme de terre ou de farine de froment jusqu'à absorption complète de l'huile. On fixait un pansement qu'on renouvelait matin et soir. La douleur disparaissait et la brûlure ne laissait aucune trace.

Les p'tits trucs de Louise

Pour diminuer la douleur, il faut mettre la blessure à l'abri de l'air. Comme vous avez pu le constater, l'imagination est des plus fertiles à trouver le bon remède pour soulager la brûlure.

Après avoir fait couler de l'eau froide pendant au moins 5 minutes sur une brûlure mineure, je la couvre d'un onguent anesthésiant contenant 1 % de dibucaïne, acheté en pharmacie, que mes enfants appellent « la crème magique ». Encore aujourd'hui, ma « crème magique » soulage les brûlures et les petites blessures de mes petits-enfants.

Le gel contenu dans une feuille d'aloès soulage aussi la douleur d'une brûlure.

CONSTIPATION

Ma grand-mère disait

Très prévoyante, ma grand-mère conservait dans de grandes bouteilles bien au frais une bonne quantité d'eau d'érable du dernier printemps. Elle pouvait ainsi soulager les petits ventres ballonnés. Ce traitement s'avérait une gâterie tout en guérissant notre mal.

Croyance populaire

Les Anciens ne lésinaient pas avec la constipation. En peu de temps, ils avaient à la main une bouteille d'huile de ricin (bouchez-vous le nez !) et en faisaient avaler une cuillerée à ceux qui se plaignaient de maux de ventre. Son action est puissante, mais peu recommandée aujourd'hui, puisqu'il est facile d'ajouter à notre alimentation des aliments riches en fibres.

Les laxatifs chimiques ont longtemps été populaires. Il faut les éviter, car les intestins s'habituant à ces produits deviendront plus paresseux. Le problème sera alors aggravé.

Oubliez aussi les lavements qui furent aussi pratiqués dans les familles. Chacune possédait sa recette favorite. L'idée de vider complètement les intestins pour soulager plusieurs maladies, dont les rhumes et les grippes, n'était pas mauvaise en soi. Par contre, le lavement était un traitement souvent trop radical.

Un mal... un remède

Saviez-vous que rire... déconstipe dans les deux sens du mot ! Le rire favorise la digestion et procure même un massage de l'intestin.

Vous pouvez aussi essayer ces trucs toujours populaires.

Boire beaucoup de jus de fruits et d'agrumes non sucrés.

Manger une pomme au repas du soir.

Boire un café noir ou un verre d'eau chaude additionnée de jus de citron.

Certains préfèrent un verre d'eau froide dès le lever.

Si vous sentez le besoin d'aller à la toilette, ne tardez pas ! Certaines personnes ont pris dès l'enfance la mauvaise habitude de différer leur soulagement, ne voulant pas demander au professeur la permission de sortir de la classe.

Pruneaux • De tout temps, les pruneaux ont été reconnus pour soulager la constipation. Leur cuisson demande peu de temps. Il est préférable de les acheter sous vide, de les ébouillanter ou de les faire cuire. On peut boire le jus le matin et manger les pruneaux à l'heure du dessert aux repas de la journée. Ou encore, couvrir quelques figues ou dattes sèches d'eau tiède. Laisser tremper toute la nuit. Au petit déjeuner, boire le jus et manger les fruits.

Huile d'olive • Prendre 15 ml (1 c. à soupe) d'huile d'olive au coucher et un verre d'eau tiède au lever.

Les p'tits trucs de Louise

Mangez à heures régulières et mâchez bien les aliments.

Buvez beaucoup de liquide entre les repas. L'eau demeure mon meilleur choix. Mon verre d'eau m'accompagne tout au long de la journée.

Marcher donnera du dynamisme à vos intestins. Même à un rythme lent, la marche s'avère efficace.

On a beaucoup parlé de fibres au cours des dernières années et nos connaissances se sont accrues sur le bienfait qu'elles apportent à notre santé. Le choix des aliments riches en fibres est vaste (fruits, légumes, yogourt, céréales complètes, légumes et fruits secs) et il est très facile d'en ajouter à notre alimentation.

CORS ET DURILLONS

Ma grand-mère disait

Quand on voyait grand-maman boiter, nous faisions attention à ne pas lui marcher sur les pieds. Attention à son petit cor !

Sa recette consistait à appliquer sur le durillon de l'ail râpé qu'elle mélangeait souvent avec une ou deux gouttes d'huile d'olive. Elle faisait bien attention à ne pas toucher à la peau autour du cor. Grand-maman dormait toute la nuit avec ce cataplasme et laissait son orteil à l'air libre durant la journée.

Le traitement était répété jusqu'à ce que le durillon ramollisse et se détache.

Un peu ratoureuse, elle profitait de l'occasion pour rappeler à toute la famille qu'il était temps de s'acheter une nouvelle paire de chaussures !

Croyance populaire

Les Anciens évoquaient l'apôtre saint Pierre pour les soulager des maux de pieds, des cors et des durillons. Il semble que le mercredi était la journée où l'on devait adresser ses prières pour être exaucé le plus rapidement possible.

Un mal... un remède

Les recettes de cataplasmes sont nombreuses ; dans tous les cas, il suffit d'appliquer un bandage suffisamment serré pour que le tout tienne bien en place.

Faire macérer quelques feuilles vertes de poireaux pendant 24 heures dans du vinaigre de vin ou de cidre. Appliquer un petit morceau de poireau sur le durillon pendant quelques nuits.

Mettre de la mie de pain imbibée de vinaigre de cidre sur le durillon pendant une trentaine de minutes. Répéter le traitement au cours de la journée. Si vous préférez, vous pouvez appliquer ce cataplasme pour la nuit.

Faire rougir l'orteil en coupant une tomate cerise en deux et en l'appliquant sur le cor pendant quelques heures. Répéter le traitement pendant quelques jours.

Prendre un bain d'eau tiède additionnée de sel marin et appliquer une compresse de jus de citron à conserver toute la nuit.

Faire cuire dans le four une grosse gousse d'ail. Recueillir une petite quantité de purée d'ail que vous déposez sur le cor. Couvrir d'un bandage. Répéter le traitement à quelques reprises au cours de la journée ou jusqu'à ce que le durillon soit amolli et facile à retirer.

Imbiber une compresse de vinaigre de cidre et la nouer autour de l'orteil. Porter ce pansement pendant quelques nuits ou jusqu'à ce que le cor disparaisse.

Les p'tits trucs de Louise

Prenez un bain de pieds d'eau additionnée de sels d'Epsom que vous achetez en pharmacie. La douleur diminuera grandement au fil des jours.

Frottez le durillon avec une pierre ponce. N'utilisez pas de lame de rasoir ou de ciseaux pour inciser les cors et les durillons.

Portez des chaussures bien ajustées à votre pied. Des chaussures trop étroites sont souvent la source du problème. Pour les élargir, maintenez les souliers au-dessus de la vapeur d'une bouilloire pendant une minute. Enfilez les chaussures avec des chaussettes un peu plus épaisses.

Répétez l'opération à quelques reprises jusqu'à ce que vos souliers deviennent confortables.

La laine de mouton insérée entre les orteils ou sur l'orteil souffrant prévient les irritations.

Coups de soleil

Ma grand-mère disait

Grand-maman nous prévenait du danger des rayons de soleil trop ardents, mais il n'était pas rare, à l'époque, que nous eussions un coup de soleil sur les épaules. La protection solaire était pratiquement inexistante dans les années cinquante. Elle appliquait alors sur la peau rougie un cataplasme de pommes de terre crues hachées. La fraîcheur du légume soulageait la brûlure et nous répétions le traitement plusieurs fois par jour jusqu'à ce que la douleur ait disparu.

Croyance populaire

Il n'a pas toujours été populaire d'avoir la peau bronzée. À une époque, on pouvait reconnaître les nobles et les aristocrates à leur peau blanche. D'un simple coup d'œil, on repérait les paysans, les soldats, les marins à leur peau plus basanée. Ce n'est qu'au siècle dernier que la tendance s'est inversée, et l'on recommandait des bains de lumière aux personnes anémiées et rachitiques.

Un mal... un remède

Rechercher la fraîcheur pour soulager la peau rougie. Plusieurs produits et remèdes atténuent la douleur.

Faire tremper quelques sachets de thé dans de l'eau froide. Utiliser cette tisane pour humecter la peau rougie.

Faire des compresses d'alcool à friction et les passer sur la peau.

Appliquer sur la peau du yogourt nature ou de la crème sure et laisser agir le produit une vingtaine de minutes avant de rincer.

Des tranches de concombre apaisent la brûlure et rafraîchissent la peau.

Mélanger une petite quantité de fécule de maïs à de l'eau fraîche pour en faire une pâte qu'on étale sur la peau rougie.

Verser 250 ml (1 tasse) de lait écrémé dans 1 litre (4 tasses) d'eau additionnée de quelques glaçons. Appliquer des compresses sur la peau. Répéter plusieurs fois par jour.

Des compresses d'eau vinaigrée soulagent aussi un coup de soleil.

Conserver la crème hydratante ou la crème après soleil au réfrigérateur. L'application sera des plus apaisantes.

Boire beaucoup d'eau.

Prendre un bain tiède généreusement additionné de bicarbonate de soude.

Le gel d'aloès est reconnu pour soulager les brûlures et la peau rougie par le soleil. Il suffit d'ouvrir une feuille sur toute sa longueur et d'en extraire le liquide. Appliqué sur la peau, il apporte un soulagement instantané.

◄•❧ TISANE MAISON ❧•►

Infuser 15 ml (1 c. à soupe) de feuilles de sauge dans 500 ml (2 tasses) d'eau portée à ébullition pendant 10 minutes. Laisser refroidir la tisane avant de l'appliquer sur la peau douloureuse.

Les p'tits trucs de Louise

Diluez 10 ml (2 c. à thé) d'eau de Javel dans 500 ml (2 tasses) d'eau froide. Imbibez un linge doux et passez-le sur la peau rougie jusqu'à ce que le linge se réchauffe. La douleur s'atténue rapidement et la peau ne dégagera pas une odeur de chlore. Ne prenez pas de bain ou ne vous douchez pas avant quelques heures. Répétez le traitement au besoin.

Avant le coucher, saupoudrez abondamment les draps de talc (poudre pour bébés). Ils seront plus frais et n'irriteront pas la peau sensible.

DIARRHÉE

Ma grand-mère disait

Ma grand-mère coupait l'extrémité d'un citron et creusait légèrement la chair pour faire sortir le jus. Elle déposait un morceau de sucre dans notre bouche puis appuyait le citron contre nos lèvres. Grand-maman pressait alors le citron et le jus s'écoulait lentement dans notre bouche. Le traitement nous semblait bien long et amer ! Il nous était défendu de boire pendant plusieurs heures et comme nous étions tentés de nous désaltérer en cachette, grand-maman nous avait à l'œil. Le lendemain, nous étions guéris.

Croyance populaire

Les Anciens soignaient la diarrhée en appliquant une couche de collodion riciné (formulation à base de collodion, de camphre et d'huile de ricin) sur tout le ventre. Le lendemain, la diarrhée avait disparu. On enlevait alors le collodion en le soulevant avec l'ongle et en l'enroulant autour d'une baguette. Comme le collodion était très inflammable, l'application devait être faite à la noirceur. On recommandait même d'éteindre les bougies.

Un mal... un remède

Généralement, une diarrhée dure deux à trois jours. Les méthodes sont nombreuses pour se soulager.

Râper une pomme et attendre quelques minutes avant de la manger, le temps que sa chair s'oxyde et se colore.

Manger de la compote de pommes saupoudrée de cannelle.

La purée de carottes est reconnue pour accélérer la guérison d'une diarrhée chez les jeunes enfants.

Manger des bananes.

Liquides • Dès le début d'une diarrhée, augmenter la consommation de liquides en éliminant tous les produits laitiers. Les boissons gazeuses ne sont pas recommandées à moins de les laisser reposer quelques heures à la température de la pièce pour éliminer les bulles. La diarrhée contribue à débarrasser l'organisme de la présence de ce qui cause ce malaise. En buvant beaucoup de liquides, on accélère la guérison.

POUR ÉVITER LA DÉSHYDRATATION

Mélangez 360 ml (1 ½ tasse) de jus d'orange non sucré à 600 ml (2 ½ tasses) d'eau bouillie refroidie. Ajoutez 2 ml (½ c. à thé) de sel. Cette solution se conserve jusqu'à 12 heures à la température ambiante et 24 heures au réfrigérateur.

POUR ATTÉNUER LA DIARRHÉE

Pour atténuer la diarrhée, déposez dans un poêlon 15 ml (1 c. à soupe) de grains de riz, 5 ml (1 c. à thé) de sucre et faire frire légèrement. Arrêter la cuisson avant que le riz ne noircisse. Ajoutez 500 ml (2 tasses) d'eau bouillante. Filtrez le tout. Buvez à petites gorgées tout au long de la journée. Pour contrer la déshydratation, remplacez le sucre par du sel.

Les p'tits trucs de Louise

Les bleuets peuvent avoir une teneur laxative mais, pour combattre la diarrhée, il est recommandé de boire du jus de bleuet frais ou congelé ou de préparer une décoction :

Déposez dans une casserole 45 ml (3 c. à soupe) de bleuets séchés et 500 ml (2 tasses) d'eau. Laissez bouillir pendant 10 minutes et filtrez. Buvez cette tisane à la température ambiante plusieurs fois par jour.

Contrairement aux autres produits laitiers, le yogourt peut être consommé, à moins de souffrir d'une intolérance au lait. Le yogourt contribue à rétablir la flore intestinale.

ÉCHARDES

Ma grand-mère disait

Après avoir insensibilisé mon doigt avec un glaçon, ma grand-mère prenait sa pince à épiler pour retirer l'écharde. Pour désinfecter ensuite la plaie, elle appliquait pendant quelques heures un cataplasme de mie de pain trempée dans du lait chaud.

Croyance populaire

Les Anciens recouvraient l'écharde de gomme de pin. Après quelques heures, l'écharde disparaissait ou elle remontait à la surface de la peau. Elle était alors facile à extraire.

Un mal... un remède

Quel que soit le produit utilisé, le principe est toujours le même : amollir la peau afin que l'écharde remonte à la surface et soit plus facile à extraire. Au fil du temps, on a aimé les trucs suivants.

Préparer une purée avec un petit morceau de banane. Couvrir l'écharde de cette purée et envelopper le tout avec un film alimentaire. Laisser agir une nuit avant d'essayer d'enlever l'écharde.

Poser un cataplasme de savon de Marseille râpé sur la plaie non cicatrisée durant une nuit. Enlever l'écharde au matin.

Recouvrir l'écharde d'une crème grasse comme la vaseline ou le beurre de karité. Couvrir la blessure avec du papier film alimentaire. Le lendemain, une simple pression sur la peau permettra de faire sortir l'écharde.

Appliquer un morceau d'oignon frit, à peine doré, légèrement refroidi sur l'écharde. Couvrir pendant quelques heures. La peau blanchie et amollie facilite l'extraction de l'écharde.

Les échardes minuscules s'infiltrent rapidement dans la peau. Ainsi, les coiffeuses préfèrent travailler avec des chaussures fermées et sécuritaires et non des sandales, de peur que de petits cheveux se glissent dans l'épiderme de leurs pieds.

Un autre exemple de ces échardes minuscules : les épines de cactus. Après avoir transplanté votre cactus, si vous avez les mains et les doigts couverts d'épines, vous pouvez les retirer rapidement en utilisant un ruban gommé que vous appliquez sur la peau et tirez.

Vous pouvez aussi employer des bandes de cire dépilatoire ou de la cire épilatoire chaude que vous appliquez sur la peau. Dans les deux cas, la cire entraînera avec elle les petites épines.

Déposer un morceau de pomme de terre crue sur l'écharde. Couvrir d'un pansement pour la nuit. Au lever, vous avez de bonnes chances que l'écharde soit disparue... vous la retrouverez dans la pomme de terre. Sinon, il sera facile de la retirer avec une pince à épiler.

Faire tremper pendant quelques minutes la peau où se trouve l'écharde dans un peu d'huile de tournesol, d'huile d'olive ou de beurre fondu. Exercer une pression autour de l'écharde afin qu'elle puisse sortir d'elle-même.

Les p'tits trucs de Louise

Il est préférable de faire tremper la blessure dans l'eau chaude savonneuse ou salée. Ainsi, la peau ramollit en peu de temps et l'écharde s'enlèvera toute seule. Vous pouvez aussi essayer, à l'aide de la pointe d'une aiguille stérilisée, de mettre un bout de l'écharde à nu en grattant la surface de la peau. Il sera alors beaucoup plus facile de la retirer. Désinfectez bien la blessure après l'extraction.

Utilisez une loupe pour une meilleure vision de la blessure.

Entorses bénignes

Ma grand-mère disait

Pour soulager les chevilles fragiles et vacillantes de ses petits-enfants, après une chute, ma grand-mère faisait couler de l'eau froide sur le membre endolori. Ce premier traitement avait un pouvoir magique pour sécher les larmes.

Ensuite, elle préparait un bain de pieds additionné de sel à marinades et de fleurs de camomille séchées. Suivait une période de repos, avec livres à colorier, histoires, bricolages, tout ce qui pouvait garder un enfant étendu, la jambe surélevée.

Croyance populaire

Les Indiens soulageaient les entorses en enroulant autour du membre blessé une peau d'anguille.

On calmait aussi la douleur avec du hareng salé. Il suffisait d'ouvrir le hareng, de l'appliquer sur la blessure et de recouvrir le membre d'un morceau de flanelle imbibé de saumure.

Peut-être un bon truc… mais quelle odeur !

Un mal... un remède

Débuter le traitement par une application de glace.

Le froid vient toujours avant la chaleur pour le traitement des membres endoloris.

Battre un blanc d'œuf avec 250 ml (1 tasse) de sucre blanc. Appliquer ce cataplasme sur le poignet ou la cheville et le laisser sécher.

La gomme de pin a longtemps été utilisée pour traiter les entorses. Appliquer la gomme sur le membre blessé et recouvrir d'une flanelle. Généralement après trois jours, le corps ayant absorbé la gomme de pin, le cataplasme s'enlève facilement.

Prendre un bain de pieds additionné de sel marin.

Détacher trois ou quatre grandes feuilles d'un chou vert. Enlever les nervures centrales et aplatir les feuilles avec un fer à repasser chaud. Appliquer les feuilles réchauffées sur la zone douloureuse pendant une quinzaine de minutes. On pourrait aussi utiliser du chou légèrement blanchi. Le chou contribue à éliminer les toxines inflammatoires.

Poser une compresse de vinaigre de cidre sur l'entorse. Laisser le vinaigre agir pendant quelques heures.

Apposer un cataplasme d'argile verte diluée dans une petite quantité d'eau pour obtenir une pâte facile à appliquer (environ la même quantité d'eau et d'argile). Appliquer cette pâte sur la blessure. Recouvrir d'un pansement. Retirer l'argile après une heure ou dès que la chaleur dégagée par le cataplasme deviendra intolérable.

◄·❧ BANDAGE MAISON ❧·►

Tremper un linge dans du vinaigre blanc. Envelopper le membre endolori avec ce linge. Recouvrir le tout d'un bandage ou d'une pellicule plastifiée pour conserver l'humidité.

Les p'tits trucs de Louise

La bière a la propriété d'atténuer la douleur et l'enflure d'une entorse. Il suffit d'enrouler une serviette éponge imbibée de bière autour du membre endolori. Recouvrez-la d'un sac plastifié pour conserver l'humidité et empêcher l'odeur de bière de vous incommoder. L'enflure et la douleur devraient se résorber au bout de quelques heures.

Gardez les jambes surélevées et prenez une bière pour vous relaxer... Oups... je voulais dire prenez « quelques jours de repos »... Votre blessure guérira plus rapidement.

ESTOMAC

Ma grand-mère disait

« Un p'tit coup de soda va régler ton problème », me disait ma grand-mère après un repas trop copieux. Elle ajoutait une pincée de bicarbonate de soude à un verre d'eau et me le faisait boire le plus rapidement possible. Je réussissais cet exploit en me pinçant le nez, car je n'aimais ni l'odeur ni le pétillement.

Croyance populaire

On faisait chauffer entre deux plats un morceau d'étoffe écarlate pour l'arroser ensuite d'eau de Cologne. On appliquait le tissu très chaud sur le creux de l'estomac pour calmer les crampes.

Un mal... un remède

Ces trucs ont souvent été utilisés pour soulager les brûlures d'estomac.

Boire une tisane à base d'écorce d'épinette rouge.

Appliquer de la chaleur sur l'estomac. À la campagne, on appliquait un cataplasme de feuilles de chou chaudes, tandis que dans les villes, on plaçait une bouillotte d'eau chaude.

Boire un verre de lait pour calmer les brûlures d'estomac. Par contre, ce truc n'est pas recommandé aujourd'hui puisque le lait, le yogourt et la crème favorisent la sécrétion d'acides dans l'estomac.

Manger une banane bien mûre.

Boire un verre de jus de pomme de terre.

Manger de la réglisse noire naturelle.

Pour les prévenir • Avaler une cuillerée d'huile d'olive à jeun tous les matins.

Manger légèrement et plus fréquemment.

Manger du yogourt avant les repas pour protéger l'estomac.

Croquer quelques amandes au cours de la journée.

Aliments à éviter • Si vous souffrez d'aigreurs à l'estomac, essayez de ne pas « mettre de l'huile sur le feu ». Évitez les charcuteries, le chocolat, les aliments gras, les plats en sauce, les plats très épicés, les tomates. Évitez les boissons alcoolisées et les boissons gazeuses.

Une infusion de fenouil atténue les maux d'estomac et est recommandée à la mère qui allaite puisqu'elle soulage aussi les coliques de bébé.

◄•❧ INFUSION DE FENOUIL ❧•►

Se procurer des graines de fenouil séchées. Les concasser avec un mortier afin de libérer les huiles essentielles. Calculer 5 ml (1 c. à thé) de fruits pour 250 ml (1 tasse) d'eau bouillante. Infuser une dizaine de minutes et filtrer avant de boire la tisane.

Vinaigre au gingembre • Pelez et émincez une racine de gingembre que vous laisserez macérer dans une bouteille de vinaigre de cidre pendant deux mois. Vous pourrez utiliser ce vinaigre pour assaisonner vos plats cuisinés. En cas de digestion difficile, versez 15 ml (1 c. à soupe) de vinaigre et 15 ml (1 c. à soupe) de miel dans une tasse d'eau bouillante. Buvez la tisane lentement.

Les p'tits trucs de Louise

Après le souper, pas question de s'allonger sur le canapé pour regarder la télévision. Assoyez-vous ! Au moment d'aller au lit, prenez un bon oreiller qui tiendra votre tête légèrement relevée.

Avant un repas copieux, avalez un verre d'eau additionnée de 5 ml (1 c. à thé) de vinaigre de cidre.

Pour éviter les reflux nocturnes, relevez légèrement le haut du lit. Votre tête sera ainsi un peu plus élevée que votre corps.

FATIGUE

Ma grand-mère disait

Lorsque mon grand-père rentrait complètement éreinté de son travail, ma grand-mère sortait une bouteille de bière « porter », bière noire très houblonnée. Elle en versait un verre et y ajoutait un œuf battu. On n'a jamais su si c'était le porter ou l'œuf qui « revigorait » mon grand-père, mais on a longtemps soupçonné qu'au retour à la maison, il augmentait sa lassitude pour obtenir cette petite faveur de ma grand-mère.

Alors qu'elle atteignait l'âge respectable de 90 ans, ma grand-mère aimait bien boire un très petit verre de cognac à l'heure du souper. Cette recommandation de son médecin la stimulait et elle pouvait ainsi passer une bonne soirée.

Croyance populaire

Pour contrer les effets d'une fatigue subite, les Anciens suggéraient de tremper les orteils dans de l'eau froide, même additionnée de glaçons, tout en plaçant les mains dans une bassine d'eau chaude. À coup sûr, ça réveillait... mais pour combien de temps ?

Un mal... un remède

Préconiser des repas légers, spécialement à l'heure du lunch pour éviter la somnolence durant l'après-midi.

Manger une pomme ou en boire le jus tous les jours pour rester en forme. Selon l'adage : « Une pomme tous les matins éloigne le médecin. »

Dormir... mais pas trop. Paresser au lit peut aussi amener une grande fatigue.

Le miel est reconnu pour apporter de l'énergie et pour prévenir les maladies. Dans un verre d'eau tiède, ajouter 5 ml (1 c. à thé) de miel et 15 ml (1 c. à soupe) de vinaigre de vin ou de cidre. Il est recommandé de boire ce breuvage matin, midi et soir.

◄•❊ BREUVAGES MAISON ❊•►

Préparer une infusion à base de romarin : infuser 30 ml (2 c. à soupe) de romarin frais ou séché dans 1 litre (4 tasses) d'eau. Filtrer et boire au cours de la journée.

Boire un lait de poule : battre un jaune d'œuf avec 5 ml (1 c. à thé) de sucre blanc et 5 ml (1 c. à thé) de rhum jusqu'à ce que la préparation blanchisse et devienne onctueuse. Ajouter le mélange à un verre de lait chaud.

Les p'tits trucs de Louise

Lorsque je manque d'énergie, je réalise que j'avais mis les bouchées doubles au cours des dernières semaines. Donc, avant de souffrir d'épuisement, je m'octroie du temps et je ralentis le rythme généralement trop accéléré de ma vie.

Le matin, j'adore m'accorder un moment de lecture au lit. Je me réveille donc lentement, et souvent quinze minutes de paresse au lit me permettent de démarrer la journée du bon pied.

Je dresse une liste des choses à faire : les urgences et tout ce qui peut attendre. J'élimine une à une les tâches selon leur priorité et je remets au lendemain certaines choses... sans aucun remords.

Le bain délassant aux arômes de lavande au cours de la soirée me relaxe avant le coucher.

FIÈVRE

Ma grand-mère disait

Pour abaisser la fièvre, grand-maman préparait une tisane à base « d'herbe à dindes », expression québécoise pour dénommer l'achillée millefeuille qui poussait dans les champs entourant la maison de mes grands-parents. Si la fièvre persistait, elle appliquait des feuilles chaudes de millefeuille sur la plante des pieds du malade.

Croyance populaire

Les Anciens coupaient un citron en minces rondelles qu'ils plaçaient dans un vase de terre vernissée très propre. Ils ajoutaient un litre et demi d'eau (6 tasses) et faisaient bouillir lentement jusqu'à ce que le tout soit réduit à un demi-litre (2 tasses). L'infusion était passée dans un linge très fin. Lorsqu'elle était refroidie, ils en buvaient quelques gorgées, trois heures environ avant le retour de l'excès de fièvre, souvent prévisible en fin de journée.

Un mal... un remède

Il faut se rappeler que la fièvre est un signal d'alarme, un symptôme qui défend l'organisme contre une maladie ou une infection et qu'elle peut contribuer à écourter la maladie.

Des trucs peuvent rendre cette période moins pénible.

Appliquer des compresses trempées dans un mélange d'eau et de vinaigre sur les chevilles, les poignets et le front.

Déposer des glaçons sur les poignets pour se rafraîchir.

Appliquer une compresse d'eau de fleur d'oranger sur le front pour apporter une sensation de fraîcheur.

Boire six verres de jus d'agrumes, en alternant un verre de jus d'orange et un verre de jus de pamplemousse, additionné chacun du jus d'un demi-citron.

Boire beaucoup d'eau pour éviter la déshydratation.

Prendre du repos.

Enrouler des linges mouillés d'eau presque froide citronnée ou vinaigrée autour des mollets. Dès que les linges se réchauffent, les remplacer par une compresse plus fraîche. Par contre, si le malade grelotte, il n'est pas recommandé d'appliquer ce traitement.

Préparer une tisane à base de tilleul, plante reconnue pour favoriser la transpiration. Infuser des fleurs de tilleul séchées ou des tisanes en sachet vendues dans les magasins de produits naturels. Boire cette tisane au cours de la journée.

Les p'tits trucs de Louise

En cas de fièvre, spécialement chez les jeunes enfants, il est important de leur donner à boire régulièrement afin d'éviter la déshydratation. Préparez des sucettes glacées maison avec des jus de fruits dilués dans l'eau et offrez-leur-en fréquemment.

On abaisse la température de la maison, et si l'enfant a très chaud, on lui fait porter des vêtements légers, ce qui permet à la chaleur corporelle de s'échapper.

On nous a souvent suggéré de plonger l'enfant dans un bain d'eau glacée! Quelle horreur pour le cœur de la maman et pour le petit qui grelotte. Un bain à la température de la pièce est plus adapté et lui semblera bien assez froid, s'il est brûlant de fièvre.

Si la fièvre s'avère dangereusement élevée ou persiste pendant quelques jours, il est impératif de consulter un médecin.

FURONCLE OU CLOU

Ma grand-mère disait

Dès l'apparition de la douleur causée par un furoncle, ma grand-mère toujours imaginative réchauffait du lait qu'elle mélangeait à un jaune d'œuf. Elle y faisait tremper de la mie de pain qu'elle appliquait sur la peau douloureuse. Elle répétait le traitement jusqu'à ce que le furoncle crève et se draine.

Grand-maman connaissait une autre méthode plus radicale pour crever un furoncle. Elle versait de l'eau très chaude dans une petite bouteille pour la réchauffer, jetait l'eau et appliquait le goulot sur le furoncle pour que la chaleur et le vide drainent le furoncle. Ce traitement semblait douloureux puisqu'on entendait mon grand-père crier pendant plusieurs minutes.

Croyances populaires

L'imagination des Anciens était très fertile concernant les remèdes pour soigner les clous ou les furoncles. Ils suggéraient de faire sécher un rognon de castor et de le faire macérer ensuite dans le gin. On buvait cette macération à petites gorgées. Le goût vous manque ? Vous n'avez pas encore tout vu...

On pouvait aussi appliquer un onguent fabriqué avec du saindoux et de la crotte de poules. Une porte ouverte à toutes les infections !

Un mal... un remède

La préparation de cataplasmes a longtemps été le traitement approprié pour faire éclater les furoncles. Il faut les renouveler après quelques heures.

Préparer un cataplasme de savon râpé (principalement du savon de pays, très populaire au Québec) et de cassonade. Appliquer sur le furoncle douloureux. En France, le même truc était pratiqué, mais on utilisait le savon de Marseille.

Poser un cataplasme de feuilles de chou hachées tièdes ou une feuille de laitue chaude.

Appliquer des carottes râpées.

Poser une tranche de tomate chaude.

Appliquer une couenne de lard salé tiède.

Faire tremper quelques graines de lin dans du lait. Les appliquer sur le furoncle.

Je me souviens que mon père souffrait occasionnellement d'inflammations sous-cutanées, appelées souvent « clous », qui apparaissaient dans son dos. Son traitement consistait à consommer des raisins secs tout au long de la première journée pour nettoyer le système digestif.

Le régime de raisins diminuait au fur et à mesure que le clou devenait moins douloureux et cessait complètement après la guérison du furoncle.

⟶⟶•⟨❀ ONGUENT MAISON ❀⟩•⟵⟵

Faire cuire un oignon dans une petite quantité d'eau et en faire une purée que l'on applique sur le furoncle alors qu'elle est encore chaude.

Les p'tits trucs de Louise

Les compresses d'eau chaude sont efficaces pour faire mûrir un furoncle. Passez une serviette sous l'eau chaude et appliquez-la pendant 5 minutes. Répétez ce traitement cinq à six fois au cours de la journée. Il ne faut pas pincer le furoncle ; la chaleur devrait suffire à ce qu'il se draine par lui-même.

Tous les cataplasmes énumérés ainsi que les compresses d'eau chaude ont pour but de faire éclater le furoncle pour qu'il se vide

de son pus. Comme sa guérison peut demander quelques jours, il est préférable de poursuivre le traitement choisi.

Afin d'éviter que l'infection se propage, préférez la douche au bain durant quelques jours.

GROSSESSE

Ma grand-mère disait

Dès qu'on annonçait une grossesse dans la famille, ma grand-mère, qui était une personne très curieuse, voulait savoir le sexe du prochain nouveau-né. Elle enfilait une aiguille avec un long fil et la suspendait au-dessus du ventre de la future maman allongée sur le canapé. Si l'aiguille tournait, c'était une fille ; par contre, si l'aiguille se balançait, elle annonçait la venue d'un garçon.

Croyance populaire

Les saisons, les mois, les jours influençaient beaucoup les Anciens. Par exemple, on croyait que les personnes nées en mai seraient très chanceuses. Certains jours étaient plus favorables à la délivrance, dont le jeudi, prédiction de vie heureuse.

D'autres croyances octroyaient des dons au futur bébé. Par exemple, un enfant qui naissait après la mort de son père ne souffrirait jamais de la coqueluche. De plus, il avait le pouvoir de guérir les autres enfants de cette maladie et de soulager les maladies du cœur. Il suffisait de retirer un de ses cheveux et de le porter sur soi pour se protéger contre ces maladies.

Nos grands-mères avaient leur propre test pour savoir si elles étaient enceintes. Après avoir uriné dans un petit récipient de verre propre, elles attendaient 5 minutes et y ajoutaient une petite cuillerée de gros sel. Si, après une heure d'attente, le sel était fondu... elles pouvaient déjà annoncer une future naissance.

C'est un garçon... ou une fille • Qui n'a pas entendu parler des folles envies ou d'une fixation sur un aliment durant la grossesse ?

Vous préférez le sucré... c'est une fille.

Vous raffolez du salé... c'est un garçon.

Déposez sur une chaise une paire de ciseaux, tandis que sur une deuxième chaise vous déposez un couteau. Couvrez les objets avec une serviette pliée en quatre. Demandez à la future maman de choisir une chaise et de s'y asseoir.

Elle choisit la chaise avec les ciseaux... c'est une fille.

La chaise avec le couteau... c'est un garçon.

Un mal... un remède

Vite... l'accouchement ! • Nos grands-mères possédaient de nombreux trucs pour faire « descendre le bébé ». Plusieurs de ces trucs sont encore pratiqués aujourd'hui.

Laver les planchers à genoux ou laver un plafond en s'étirant.

Faire le grand ménage de maison.

Aller marcher à l'extérieur de la maison.

Ouvrir son lit au futur papa. Une relation sexuelle complète précipite les événements.

Espérer la pleine lune... promesse d'un accouchement.

Vergetures • Lors de la grossesse, on peut voir apparaître des vergetures sur les seins et sur le ventre. Les massages avec de l'huile d'amande douce sont la solution la plus populaire et probablement la moins coûteuse utilisée par beaucoup de femmes à travers le monde.

Les p'tits trucs de Louise

Je vous suggère de suivre votre grossesse au quotidien. Prenez des notes dans un carnet sur tous les aspects de la grossesse. Santé, goûts particuliers, achats, dates importantes au cours de ces neuf mois.

J'avais ainsi écrit un petit journal de ma première grossesse ; je l'ai remis à mon fils, trente ans plus tard, alors qu'il allait lui-même devenir père.

HOQUET

Ma grand-mère disait

Répéter la formulette suivante sept fois sans respirer était très populaire, spécialement dans les couvents : « J'ai le hoquet, c'est Dieu qui l'a fait. Je ne l'ai plus, vive Jésus. »

Il ne faut pas trop s'inquiéter du hoquet à répétition des bébés : « Bébé hoquetant, bébé bien portant ! »

Par contre, grand-maman réprimandait l'adulte qui hoquetait après un repas copieux : « Attention... tu as trop mangé, tu vas engraisser ! »

Croyance populaire

On a longtemps cru que si on serrait un objet en acier entre nos mains, le hoquet cesserait immédiatement.

Faire peur ou rire pour soulager • Sans prévenir, on surprend une personne qui a le hoquet en lui arrachant un cheveu sur la tête ou on lui fait peur en criant très fort derrière elle.

On peut aussi déposer des glaçons sur son cou, à la hauteur de la pomme d'Adam ou la surprendre en glissant dans son dos quelques glaçons ou une cuillère froide.

Pour soulager un hoquet persistant, on dépose des glaçons sur le nombril. Ce truc découle d'un vieux traitement pratiqué par les médecins qui appliquaient quelques gouttes d'éther dans le nombril arrêtant ainsi les contractions du diaphragme.

À défaut de lui faire peur, vous pouvez toujours faire rire la personne en la chatouillant. Encore une fois, une surprise de taille pouvant faire cesser le hoquet.

Un mal... un remède

Respirer dans un petit sac en papier brun. Il faut inspirer et expirer en tenant bien le sac sur la bouche, empêchant ainsi l'air d'y pénétrer.

Sucer un carré de sucre imbibé de quelques gouttes de vinaigre qu'on laisse fondre lentement dans la bouche.

Manger une cuillerée de sucre en poudre, de beurre d'arachides ou de miel sans respirer.

Une fois le produit choisi en bouche, il sera difficile à avaler et la respiration sera ralentie.

Boire lentement un verre d'eau en pinçant le nez et en comptant bien 13 petites gorgées.

Boire un verre d'eau à l'envers, le corps penché vers l'avant.

Placer un couteau dans un verre d'eau, la lame vers l'intérieur et boire lentement, l'ustensile appuyé contre le front. Il ne faut pas faire tomber le couteau. Ce truc est efficace... mais pas très discret si vous avez le hoquet dans un restaurant.

Tirer la langue le plus fort possible en essayant de toucher la pointe du menton.

Tirer fermement les deux lobes d'oreille en même temps, vers le bas. Vous aurez peut-être l'air ridicule... mais le truc est souvent efficace.

◄•❧ TISANE MAISON ❧•►

Faire bouillir une tige d'aneth dans 250 ml (1 tasse) d'eau. Filtrer la tisane et boire lentement.

Soulager bébé • Une ou deux gouttes de miel sur la tétine peuvent soulager le hoquet d'un bébé incapable d'avaler un verre d'eau. Il ne faudrait pas renouveler cette habitude trop fréquemment. Elle deviendrait vite un caprice.

Les p'tits trucs de Louise

Couvrez un verre d'eau d'un papier-mouchoir. Buvez lentement l'eau filtrée à travers le mouchoir. C'est miraculeux !

INFECTION URINAIRE

Ma grand-mère disait

Quand ma grand-mère ralentissait ses activités à cause d'une infection urinaire, elle se préparait une tasse d'eau bouillante dans laquelle elle ajoutait 5 ml (1 c. à thé) de fleurs de verge d'or séchées. Grand-maman filtrait la tisane après une dizaine de minutes, la laissait refroidir et buvait cette tisane 3 fois par jour. Elle s'accordait quelques jours de repos, délaissait les travaux ménagers et s'affairait à piquer la courtepointe montée sur le métier.

Croyance populaire

On a longtemps soulagé une infection urinaire en ébouillantant les cheveux d'épis de maïs. Cette infusion bien filtrée était bue trois fois par jour pendant deux semaines.

On recommandait aussi de se coucher sur une paillasse remplie de fougères ou d'immortelles.

On considérait le froid comme la principale cause des maux de reins et des infections urinaires. On recommandait de bien se couvrir les pieds pour ne pas prendre froid, de changer de chaussures et de bas si l'on avait les pieds mouillés et de ne pas s'asseoir sur une surface froide.

Un mal... un remède

Consommer des graines de citrouille séchées plusieurs fois par jour ou en préparer une infusion.

Infuser des gousses de haricots séchés.

Entreprendre une cure de jus de canneberge durant quelques jours et en boire régulièrement pour prévenir les infections.

Se coucher sur un sac d'avoine chaude.

Prendre un bain chaud.

Il est important, lors d'une infection urinaire, de boire beaucoup de liquides pour éliminer les bactéries et faciliter le passage de l'urine. L'eau, les tisanes et les jus sont recommandés.

◄◄⊱ TISANES DIURÉTIQUES ⊰►►

Pour soulager une rétention urinaire, vous pouvez préparer d'excellentes tisanes diurétiques.

Infuser 250 ml (1 tasse) de feuilles fraîches de romarin dans 1 litre (4 tasses) d'eau bouillante. Remettre l'eau à bouillir à couvert pendant 10 minutes. Filtrer et boire une tasse de cette infusion tiède après chaque repas.

Dans 1 litre (4 tasses) d'eau bouillante, déposer un petit bouquet de persil et 30 ml (2 c. à soupe) de graines de cumin. Remettre l'eau à bouillir à couvert pendant 5 à 10 minutes. Filtrer l'infusion

et boire un petit verre de la tisane refroidie, 3 à 4 fois par jour pendant 4 jours.

Les p'tits trucs de Louise

Une tisane à base de queues de cerises est un excellent diurétique et soulage un début d'infection urinaire.

Après les avoir nettoyées et séchées, conservez dans un bocal fermé hermétiquement les queues des cerises que vous mangez durant la saison chaude.

Au besoin, faites ramollir une poignée de queues de cerises dans 1 litre (4 tasses) d'eau tiède pendant 12 heures. Retirez les queues et infusez-les dans 1 litre (4 tasses) d'eau bouillante. Filtrez la tisane et buvez-en un petit verre matin et soir pendant quelques jours.

MAUX DE DENTS

Ma grand-mère disait

Le clou de girofle était reconnu pour soulager les maux de dents. L'odeur n'était pas très agréable et appétissante, mais grand-mère n'hésitait pas à en croquer un sous la dent sensible.

Comme elle n'aimait pas entendre un bébé geindre durant de longues heures lorsqu'il perçait des dents, ma grand-mère au cœur tendre écrasait un clou de girofle et lui massait les gencives du bout du doigt.

Croyance populaire

Selon une pratique indienne qui découle d'un vieux truc pratiqué en Europe, « le transfert de mal » pouvait agir sur le mal de dents. On suggérait alors de gratter la dent avec une épingle ou une aiguille et d'aller la piquer sur l'écorce d'un arbre. La personne qui ramasserait cette épingle contracterait, à son tour, le mal de dents.

Voilà une vieille pratique qui reflète la pensée actuelle « Passez au suivant » !

Une deuxième pratique consistait à se placer debout face au nord et à appuyer sur la joue douloureuse le pôle négatif d'un aimant, en espérant qu'il puisse aspirer tout le mal.

Incroyable... mais vrai ! Dans les années 1930-1940, si on avait mal aux dents, on réglait le problème de façon permanente en se faisant arracher toutes les dents. D'ailleurs, à cette époque, il était courant que les futures mariées demandent comme « cadeau de mariage » deux prothèses dentaires pour remédier à un sourire défaillant.

Un mal... un remède

Heureusement, l'arrachage de dents n'est plus aussi populaire et j'ai pu répertorier de nombreux trucs pour soulager le mal de dents.

Appliquer un clou de girofle contre la dent douloureuse.

Imbiber un coton-tige d'huile essentielle de clou de girofle ou de noix de muscade pour badigeonner la dent en prenant garde de ne pas toucher la gencive. Ces produits pourraient l'irriter.

Pour un traitement plus rapide, imbiber cette fois le coton-tige de whisky. Badigeonner bien la dent et la gencive souffrante. L'alcool peut engourdir le mal.

Appliquer sur la dent du persil frais haché additionné d'une pincée de sel. Laisser le cataplasme agir quelques minutes avant de rincer la bouche.

Rincer la bouche fréquemment avec de l'eau tiède.

Masser la dent douloureuse avec un glaçon.

En cas d'abcès, faire bouillir une figue dans un peu de lait et l'appliquer sur la zone sensible.

Pour soulager un ulcère buccal, les grands-mères appliquaient du cérumen extrait d'une oreille. La cire d'oreille couvre bien l'aphte et possède des propriétés antiseptiques.

On a longtemps cru qu'on pouvait soulager le mal en laissant dissoudre un comprimé d'aspirine sur la dent. Cette pratique est tout à fait inutile et pourrait même brûler la gencive. Il est préférable d'avaler l'aspirine qui deviendra alors plus efficace.

Soulager bébé • L'ambre est une pierre fossile qui possède de nombreuses propriétés apaisantes et des vertus thérapeutiques. Elle était reconnue par nos ancêtres pour faciliter la pousse des dents en épargnant la douleur aux bébés. On peut se procurer des colliers d'ambre spécialement conçus pour les bébés.

À défaut du collier, si vous possédez un bijou en ambre, attachez-le solidement à ses vêtements, à la base du cou. Attention à ce qu'il ne puisse le détacher.

L'anneau de dentition réfrigéré ou une carotte froide crue donnés à mâchouiller soulagent aussi.

Attention aux caries du biberon • Dès l'apparition des premières dents, la plaque dentaire se dépose sur les dents du bébé. Il est donc important de lui brosser les dents avec une brosse à dents souple conçue pour les jeunes enfants.

Pour éviter que la plaque dentaire soit en contact avec le sucre et que les petites dents soient cariées en quelques mois :

• évitez de laisser le bébé s'endormir avec un biberon d'eau ou de jus sucré ;

• ne trempez pas la suce dans le miel ou le sirop d'érable. Une solution qui fait taire un bébé larmoyant, mais qui devient un véritable esclavage pour la maman, puisque le bébé reprendra ses pleurs dès que la suce ne sera plus sucrée. En plus, cette mauvaise habitude est dommageable pour ses dents ;

• vérifiez auprès de votre dentiste si une application de fluor est nécessaire. L'enfant devrait visiter le dentiste vers l'âge de trois ans pour la première fois.

Un mal... un remède

Une dent arrachée • Pour arrêter le saignement après l'extraction d'une dent, déposez un sachet de thé humide sur la plaie. Laissez agir quelques minutes avant de le retirer.

Soulager les aphtes • Ces petits ulcères buccaux sont sensibles et rendent nos journées beaucoup moins agréables.

Rincer régulièrement la bouche avec de l'eau salée ou de l'eau tiède additionnée d'une cuillerée d'eau oxygénée (peroxyde d'hydrogène).

Appliquer quelques minutes un sachet de thé noir humide sur l'irritation.

Préparer un bain de bouche à base de basilic. Calculer environ ½ litre d'eau (2 tasses) d'eau pour 125 ml (½ tasse) de basilic frais.

Manger un yogourt tous les jours pendant le traitement afin que les cultures du yogourt détruisent les bactéries dans la bouche.

◄•⟨ CONTRER L'HYPERSENSIBILITÉ DENTAIRE ⟩•►

Si votre mal de dents provient d'hypersensibilité dentaire, rincez la bouche avec 250 ml (1 tasse) d'eau tiède additionnée de 5 ml (1 c. à thé) de sel.

Préparez une infusion avec deux pincées de thym séché, deux pincées d'eucalyptus ainsi que deux pétales de rose dans 250 ml (1 tasse) d'eau. Laissez tiédir l'infusion avant de rincer la bouche avec cette solution.

Les p'tits trucs de Louise

Pour soulager un mal de dents, infusez cinq clous de girofle dans 250 ml (1 tasse) d'eau. Laissez tiédir l'infusion. Préparez des bains de bouche avec cette solution.

Évitez les aliments trop chauds ou trop froids. N'appliquez pas de compresses chaudes sur un mal de dents. Le froid vous soulagera.

Une douleur à une dent après avoir mangé un aliment froid ou sucré provient souvent d'une carie. Une douleur au contact de la chaleur est très sérieuse et pourrait annoncer la présence d'un abcès. Prenez rendez-vous immédiatement avec votre dentiste pour déterminer la cause de votre mal de dents.

MAUX DE GORGE

Ma grand-mère disait

Grand-mère conservait toujours des produits qui soulageaient le mal de gorge. Nous mâchions de la gomme de sapin ou, à défaut, nous nous régalions de sucre d'érable brisé en petits morceaux. Devinez quel était notre traitement préféré ?

Croyance populaire

Voici une croyance surprenante. Pour une bonne nuit de sommeil, on suggérait d'enlever le bas gauche, porté toute la journée, en utilisant seulement la main gauche. Ensuite, on devait le tourner à l'envers, toujours de la main gauche, pour l'enrouler autour de la gorge souffrante. Les gauchers étaient définitivement avantagés pour la pratique de ce truc...

Grâce à la chaleur... et peut-être à l'odeur dégagée par le bas, le mal se dissipait en quelques heures.

Un mal... un remède

Faire chauffer du sel à marinades dans un poêlon. Lorsque le sel est bien chaud, glissez-le dans un bas de laine que vous enroulez sur la gorge souffrante. Ce truc est dans la même lignée que la croyance populaire.

Boire une tisane de gomme de sapin battue dans de l'eau chaude jusqu'à ce que vous obteniez la consistance d'un blanc d'œuf.

Se gargariser plusieurs fois dans la journée avec de l'eau salée, environ 15 ml (1 c. à soupe) de sel dans 250 ml (1 tasse) d'eau.

Une tisane à la camomille soulage la gorge irritée. Vous pouvez la boire ou l'utiliser comme gargarisme.

Sucer une gousse d'ail jusqu'à ce que vous sentiez la gorge anesthésiée. Votre entourage ne pourra peut-être plus vous sentir... mais vous serez soulagé!

Si votre mal de gorge annonce la venue d'un rhume, voici une recette traditionnelle.

PONCE DE GIN DE NOS GRANDS-PÈRES

- 125 ml (¼ tasse) de gros gin
- le jus d'un demi-citron
- 5 ml (1 c. à thé) de miel
- 1 clou de girofle
- 175 ml (¾ tasse) d'eau bouillante

Dans une tasse préalablement passée sous l'eau chaude, verser le gin, le jus de citron et le miel. Ajouter le clou de girofle. Verser l'eau bouillante et laisser infuser quelques minutes. Boire lentement la ponce bien chaude.

Nos grands-pères utilisaient le gros Gin Geneva. Vous pouvez remplacer le gin par tout alcool blanc.

À défaut de clou de girofle, remplacez-le par une pincée de muscade ou de gingembre.

⋅ CATAPLASME MAISON ⋅

Préparer un cataplasme de lait caillé. Mélanger 250 ml (1 tasse) de lait et 5 ml (1 c. à thé) de vinaigre. Déposer la préparation entre deux morceaux de tissu réchauffés. Replier le tissu et appliquer sur la gorge pendant 24 heures.

Dans un verre de lait chaud, ajouter un filet de miel et du poivre noir concassé. À boire trois fois par jour. Le poivre désinfecte et soulage la gorge.

Les p'tits trucs de Louise

On soulage la gorge irritée avec un gargarisme : 125 ml (½ tasse) d'eau chaude, 15 ml (1 c. à soupe) de miel et le jus de deux citrons.

On peut aussi préparer une tisane apaisante faite à base d'eau chaude, à laquelle on ajoute 1 cuillerée de miel, le jus d'un demi-citron, 2 à 3 clous de girofle et le zeste d'un citron. Laisser mijoter 5 minutes avant de boire la tisane bien chaude.

MAUX DE TÊTE

Ma grand-mère disait

Rien de mieux pour soulager un mal de tête léger que d'appliquer sur le front et les tempes de fines tranches de pommes de terre crues poivrées ou salées. Maintenir le tout en place avec un foulard. S'accorder du repos en s'allongeant dans le noir pendant une heure. Ce truc était connu dans toutes les familles du Québec et grand-maman l'utilisait régulièrement.

La fraîcheur apportée par les pommes de terre sur les endroits douloureux procure un soulagement. En France, les grands-mères connaissaient une variante à ce truc et utilisaient des tranches de citron. Le rafraîchissement est comparable à celui des pommes de terre.

Secret de grand-père • Une soirée trop arrosée peut occasionner un mal de tête au lever. Le secret de grand-père était de tartiner quelques biscuits soda de miel et de s'en régaler au petit déjeuner. Ni vu... ni connu !

Un mal... un remède

Appliquer un cataplasme de tranches d'oignons trempées dans du vinaigre chaud, tenu en place avec un foulard ou un bandage de gaze pendant quelques heures. Si vous n'aimez pas l'odeur des oignons crus, vous pouvez les ébouillanter et étaler les tranches refroidies sur votre front.

Appliquer des compresses de glace ou une pommade de menthol soulagera votre front et votre mal de tête.

Faire une sieste dans le noir. Elle doit être de courte durée, sinon le mal de tête peut devenir encore plus persistant.

Boire un verre d'eau additionné de 30 ml (2 c. à soupe) de vinaigre de cidre et de 10 ml (2 c. à thé) de miel.

Pratiquer un massage circulaire sur les tempes, chercher le calme ou boire un thé fortement citronné apportera une détente.

Il serait bon de repérer les aliments qui occasionnent le mal de tête. La caféine, le chocolat, les épices, le glutamate monosodique (souvent présent dans les mets chinois), l'alcool, les produits laitiers, les charcuteries peuvent être des sources de maux de tête.

⤏•☙ CATAPLASME MAISON ☙•⤐

Cette vieille recette a apporté un soulagement à plus d'une personne.

• 1 œuf entier

• + 1 jaune d'œuf

• 30 ml (2 c. à soupe) de citron

• 30 ml (2 c. à soupe) de rhum blanc

Mélanger le tout avec de la farine (si possible, de la farine de froment) jusqu'à ce que le mélange prenne la consistance d'une pâte à tarte.

Poser la pâte sur le front et s'allonger dans le noir en gardant le cataplasme 1 heure ou jusqu'au moment où l'on sentira un soulagement.

Les p'tits trucs de Louise

Je n'hésite pas à me soigner avec un analgésique. Il ne faut surtout pas attendre que le mal de tête soit bien implanté. Il est préférable de prendre l'analgésique dès le début des symptômes.

Mon deuxième truc : une promenade santé à l'extérieur. Ce truc est particulièrement efficace par temps frais.

MAUX D'OREILLE

Ma grand-mère disait

Rien de mieux que de faire chauffer du gros sel dans un poêlon et de le verser sur une débarbouillette pour façonner un petit sachet. Elle m'invitait à me mettre à genoux sur une chaise et à coucher mon oreille douloureuse sur ce sachet déposé sur la table. La chaleur engourdissait mon mal.

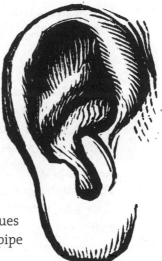

Croyance populaire

Pour soulager le mal d'oreille, on soufflait quelques bouffées de fumée de cigarette, de cigare ou de pipe dans l'oreille. L'efficacité de ce remède n'a jamais été démontrée. Heureusement, ce truc n'est plus pratiqué aujourd'hui.

Les Anciens appliquaient sur l'oreille un petit sachet rempli de grains d'avoine très chauds.

Un mal... un remède

Le vinaigre ou le jus de citron pur ou dilué dans un peu d'eau tiède soulagent la douleur d'une infection de l'oreille externe. Verser deux gouttes dans chaque oreille.

Mettre une ou deux gouttes d'huile d'olive dans le conduit de l'oreille pour soulager les oreilles bouchées.

Appliquer sur l'oreille un cataplasme de pommes de terre bouillies déposé entre deux flanelles.

En avion • En avion, lors du décollage et à l'atterrissage, à cause de la pression, ou en voiture, lors des changements d'altitude, les oreilles ont tendance à se boucher. Si on vous offre de la gomme ou un bonbon, ne le refusez pas. Cette petite douceur peut vous éviter bien des maux.

Le deuxième truc est de bâiller « à vous décrocher les mâchoires », comme disait ma grand-mère. Le bâillement débouche les oreilles rapidement.

Lorsqu'on doit voyager avec un bébé, on lui offre un biberon au décollage et à l'atterrissage. Bravo s'il accepte de boire ! Si la pression dans les oreilles l'empêche de boire, déposez sur ses lèvres quelques gouttes d'eau ou de lait. Le bébé aura le réflexe d'ouvrir la bouche et de déglutir pour les avaler. Répétez ce petit truc à quelques reprises et le petit évitera les maux d'oreille.

L'otite du baigneur • Ces précautions vous aideront à prévenir une otite à la suite d'une baignade, spécialement dans les lacs et les rivières où l'eau est polluée ou dans une piscine où l'eau présente une forte teneur en chlore.

Verser dans le conduit auditif quelques gouttes d'huile minérale ou pour bébés.

Porter des bouche-oreilles.

Éviter la baignade dans une eau douteuse.

Porter un bonnet de protection pour couvrir les oreilles.

Après la baignade, il est important de pencher la tête de chaque côté pour permettre l'égouttement et d'utiliser le coin d'une débarbouillette propre pour assécher complètement l'oreille.

Le jet d'air modéré ou faible d'un sèche-cheveux, à une distance de 40 cm à 60 cm, dirigé vers l'oreille, peut éliminer l'humidité.

Après une baignade dans un lac ou à la mer, une goutte d'alcool à friction dans chaque oreille tuera les microbes et asséchera le conduit.

Oreille bouchée • Après la baignade, si votre oreille est bouchée, inclinez l'oreille bouchée vers le sol tout en sautillant sur le pied correspondant : oreille gauche, pied gauche ; oreille droite, pied droit. Et ça débouche...

Un insecte dans l'oreille • Pour enlever un insecte vivant qui s'est faufilé dans votre oreille, tournez-la vers une forte lumière ou dirigez vers l'oreille le faisceau lumineux d'une lampe de poche. L'intrus trouvera la porte de sortie plus facilement.

Vous pouvez aussi injecter de l'eau chaude additionnée d'une à deux gouttes d'huile minérale ou d'amandes douces au moyen d'une poire. Le parasite devrait remonter à la surface.

Il est faux de croire qu'une fourmi ou une araignée peut faire son chemin jusqu'au cerveau. Le seul danger est que l'insecte pique l'intérieur de l'oreille et cause une inflammation douloureuse.

Deux gouttes de peroxyde dans l'oreille pétillent et nettoient le conduit auditif. Penchez la tête pour que l'oreille soit tournée vers le plafond. Après 1 minute, tournez l'oreille vers le sol afin que le peroxyde s'écoule. Asséchez bien l'oreille.

Protection • Protégez vos oreilles contre les bruits nuisibles trop fréquents au travail. Les bouchons et les coquilles évitent des dommages permanents au système auditif. En cas de doute sur l'intensité du son dans votre environnement, il est important que vous preniez des mesures préventives le plus rapidement possible.

Les p'tits trucs de Louise

Les médecins ne recommandent pas l'utilisation du coton-tige pour nettoyer les oreilles. Il aurait tendance à enfoncer la cire dans le conduit. Employez plutôt le coin d'une serviette propre. Ne glissez rien dans le conduit auditif, pas de petits objets comme un trombone, un stylo, même pas votre ongle.

Pour nettoyer et arrêter les démangeaisons, faites couler une ou deux gouttes d'huile minérale (huile pour bébés) dans le conduit auditif.

L'huile d'amande douce permet d'amollir un bouchon de cérumen accumulé dans l'oreille.

On peut aussi appliquer une bouillotte d'eau chaude contre l'oreille pour ramollir le cérumen qui s'écoulera de l'oreille. Il faudra essuyer l'oreille et non pas y introduire un objet pour le retirer. N'oubliez pas qu'il est important de ne pas retirer tout le cérumen, car il prévient les démangeaisons et les infections.

Si votre tympan est perforé, consultez un médecin avant d'essayer tout traitement.

MÉNOPAUSE

Ma grand-mère disait

Lorsque mes tantes venaient visiter ma grand-mère, il y avait autour de la table des discussions animées qui ne démontraient pas toujours une bonne entente. Grand-maman nous recommandait alors d'aller jouer dehors, nous rassurait en nous confirmant qu'il ne se

passait rien de grave, que c'était simplement le « retour d'âge » de mes tantes qui les rendait nerveuses. Nous ne comprenions rien à la situation et restions perplexes, tandis qu'on nous demandait de laisser la porte ouverte pour faire entrer un peu d'air frais dans la maison.

Croyance populaire

La ménopause, qu'on surnommait l'« âge critique », sonnait le glas pour la femme qui était alors considérée comme une « vieille femme ». On lui recommandait de prendre un « tonique » contre les faiblesses et de porter attention aux maux de tête, à la nervosité et à l'agacement, car ces symptômes pouvaient s'aggraver et même mener à la folie.

Un mal... un remède

Fatigue accrue, insomnie, prise de poids, maux de tête, bouffées de chaleur, apparition de poils disgracieux, baisse de libido, voilà le joyeux cocktail pour une vie rêvée. Heureusement, plusieurs de ces symptômes peuvent être soulagés et il est même possible que certaines femmes les ressentent peu ou pas.

Pour réduire les bouffées de chaleur, éviter les changements brusques de température de l'intérieur à l'extérieur, d'une pièce climatisée à une pièce chauffée.

Diminuer la consommation de boissons chaudes, le café, l'alcool, les mets épicés susceptibles d'augmenter la chaleur corporelle.

Boire beaucoup d'eau et de jus de fruits. Éviter les repas trop lourds. Prendre de préférence plusieurs petits repas par jour.

Pratiquer le yoga, le tai-chi, faire de l'exercice physique, sont des activités reconnues pour contrôler plusieurs symptômes.

Une friction de la poitrine et du dos avec du vinaigre de cidre avant d'aller au lit pourrait réduire les suées nocturnes.

Les infusions de camomille, de sauge et de trèfle rouge sont reconnues pour réduire les bouffées de chaleur. On peut en boire deux à trois tasses par jour.

Les p'tits trucs de Louise

Comme les bouffées de chaleur peuvent survenir à tout moment, conservez dans votre sac à main des lingettes rafraîchissantes. Elles vous dépanneront pour humidifier votre visage, vos poignets et feront baisser votre température corporelle. Très pratiques également pour améliorer votre confort en épongeant la peau et en éliminant la sueur.

Un verre d'eau froide, de la glace, un ventilateur à piles peuvent aussi apporter un soulagement.

Il est aussi préférable de porter des vêtements superposés que vous pouvez retirer ou ajouter pour votre confort. Gâtez-vous, achetez des vêtements en fibres naturelles comme le coton, le lin, la laine qui retiennent beaucoup moins la chaleur et la transpiration que les vêtements en fibres synthétiques.

Nausée

Ma grand-mère disait

On connaît bien les nausées matinales fréquentes en début de grossesse. Le truc de grand-maman a semblé en soulager plus d'une dans la famille : déposer sur la table de nuit 2 ou 3 biscuits soda qu'on devait manger avant de se lever.

Sa deuxième recette consistait à faire bouillir une racine de gingembre dans 500 ml (2 tasses) d'eau pendant 5 à 10 minutes. Elle y ajoutait une petite cuillerée de miel. Je buvais cette tisane avant les repas ou dès l'apparition d'une nausée lors de ma première grossesse.

Croyance populaire

Une croyance sur les vertus du persil recommandait de calmer le mal des transports en plaçant un petit bouquet de persil sur le nombril de l'enfant sujet au mal de cœur et de le tenir en place avec un pansement. Vous pouvez tout aussi bien fabriquer aujourd'hui un collier de persil et l'attacher autour du cou de l'enfant qui est souvent malade en voiture. Ce truc un peu mystérieux pourrait fonctionner.

Dès qu'on sentait venir une nausée, on essayait de trouver un truc pour la calmer. Le premier réflexe était de passer les avant-bras et les mains sous l'eau très froide en respirant profondément. Ensuite, on se préparait une tisane.

Un mal... un remède

Ajouter le jus d'un quartier de citron à une tasse d'eau bouillante. Boire la tisane tiède à petites gorgées.

La menthe est excellente pour les nausées. En tisane, en bonbon, elle apporte un soulagement.

Buvez de l'eau glacée ou sucez des glaçons jusqu'à ce que le mal de cœur se dissipe.

N'avalez pas continuellement la salive. Asséchez la bouche en buvant à petites gorgées une tasse de thé noir additionné de quelques gouttes de jus de citron, mangez des olives riches en tanin, des biscottes, mordez dans une tranche de citron.

166

Mal des transports • N'y pensez pas trop ! Souvent, on a tellement peur d'avoir mal au cœur dans l'automobile, en avion ou sur le bateau que le phénomène se produit.

Évitez la chaleur étouffante dans le véhicule. Respirez de l'air frais, ouvrez une vitre si possible afin que l'air se renouvelle, actionnez le ventilateur dans l'avion.

Évitez de lire en roulant ou placez le livre au niveau des yeux et non sur vos genoux. Un conducteur n'est jamais malade au volant. Adoptez sa posture en évitant de regarder les paysages défiler ; fixez plutôt la vitre avant pour voir la route à venir.

Mangez en petites quantités, mais régulièrement. Un estomac vide est plus enclin aux maux de cœur.

Avant de quitter la maison, mangez une banane. Les marins connaissent bien ce vieux truc pour prévenir le mal de mer.

Les p'tits trucs de Louise

Le gingembre est reconnu pour prévenir différents types de nausée. On peut se procurer du gingembre en capsule ou mâchouiller une tranche de gingembre frais.

En début de grossesse, pour éviter les nausées, buvez une demi-heure avant les repas un petit verre d'eau additionnée de quelques gouttes de jus de citron, d'un filet de miel et d'une pincée de gingembre en poudre. Mangez peu et souvent. Surtout, évitez les aliments gras.

PEAU SÈCHE (DÉMANGEAISONS)

Ma grand-mère disait

Quelquefois, nous avions la peau irritée. Les causes étaient nombreuses : le soleil, les jeux dans les bois, les piqûres d'insectes, la peau sèche… Ma grand-mère nous regardait nous gratter et nous demandait : « Avez-vous une crise de grattelle ? » La grattelle nous permettait de jouer très longtemps dans le bain. Grand-maman faisait couler un bain et versait dans un vieux bas de nylon 500 ml (2 tasses) de flocons d'avoine. L'eau du bain devenait laiteuse et en peu de temps nos démangeaisons étaient soulagées.

Croyance populaire

Il était fréquent de souffrir d'une irritation après avoir touché de l'herbe à puce. Cette réaction allergique en faisait paniquer plus d'un puisqu'on croyait faussement que l'allergie reviendrait automatiquement tous les étés pendant sept ans.

Un mal… un remède

Préparer un cataplasme de carottes râpées et l'étendre sur la peau irritée.

Frotter la peau avec de la vaseline ou de l'huile minérale.

Boire beaucoup d'eau.

Prendre des bains d'eau tiède additionnée de bicarbonate de soude.

Appliquer une lotion hydratante pendant que la peau est encore humide. Elle emprisonnera un peu d'eau dans l'épiderme et combattra mieux le dessèchement.

Se protéger adéquatement du froid lorsque l'on est à l'extérieur durant l'hiver. Par contre, ne pas surchauffer l'intérieur de la maison.

Se munir d'un petit humidificateur dans la maison peut aider à garder une peau mieux hydratée.

Les coudes rugueux • Lorsque vous évidez un avocat, mettez tout simplement les coudes dans l'écorce et frottez avec un mouvement circulaire.

Préparez un mélange à parts égales de sel de mer et d'huile d'olive. Massez les coudes et les genoux rugueux avec cette préparation et rincez.

Mélangez du marc de café à un lait corporel. Frottez la peau délicatement, rincez et séchez, puis appliquez une crème hydratante.

◄•⟨ PRÉPARER UNE HUILE DE BAIN PARFUMÉE ⟩•►

Utiliser de l'huile d'amande douce, de tournesol ou de germe de blé. À 250 ml (1 tasse) d'huile, ajouter une vingtaine de gouttes d'huile essentielle, puis fermer la bouteille hermétiquement. Attendre quelques jours avant d'utiliser le mélange. Il suffit d'en ajouter de 5 à 10 ml (de 1 à 2 c. à thé) à l'eau du bain pour le parfumer.

Les p'tits trucs de Louise

Pour un bain délassant qui rendra la peau douce, ajoutez à 500 ml (2 tasses) de bicarbonate de soude quelques gouttes d'huile essentielle, puis remuez le tout. Vous pouvez aussi ajouter 2 à 3 gouttes de colorant alimentaire pour le plaisir des yeux. Laissez reposer la préparation quelques jours dans un bocal hermétique avant d'en utiliser 2 ou 3 cuillerées dans le bain.

Tous les produits à base de beurre de karité sont excellents pour la peau sèche.

PETITES COUPURES

Ma grand-mère disait

Lorsque je me coupais au doigt ou m'éraflais le genou, j'étais craintive en voyant ma grand-mère sortir la poivrière de l'armoire. Chose surprenante, le poivre qu'elle saupoudrait sur la plaie ne brûlait pas. La blessure était ensuite couverte d'un papier à cigarettes de grand-papa. Le saignement s'arrêtait en quelques minutes.

Croyance populaire

Les superstitieux n'aiment pas recevoir en cadeau des ciseaux ou des couteaux. Ce cadeau a la réputation de briser l'amitié entre le donateur et le receveur. En plus, pour se protéger contre les blessures qui pourraient survenir avec les objets offerts, la coutume veut que l'on échange ce présent contre un « sou noir », que l'on remet au donateur. Cette précaution pourrait contrer la malchance.

D'après une pratique indienne, on appliquait de la gomme de sapin blanc sur la blessure. Pour contrer l'infection et accélérer la guérison, on lavait régulièrement la plaie avec une infusion d'épinette rouge.

Un mal... un remède

Tous ces trucs peuvent vous aider à soulager de très légères coupures et égratignures.

Exercer une pression avec deux doigts sur la coupure pour arrêter le saignement.

Écraser quelques feuilles de géranium sur un pansement et l'appliquer sur la blessure. Ce procédé accélère la cicatrisation.

Poser un cataplasme de miel sur la coupure.

Faire bouillir des graines de lin ou du gruau jusqu'à ce que le liquide devienne pâteux. Étendre ce liquide pâteux ou le gruau épais et chaud sur une flanelle. Appliquer sur la plaie infectée.

Petite coupure avec une feuille de papier • Frotter la coupure avec des feuilles de basilic écrasées.

Déposer sur la coupure une tranche de pomme de terre bien lavée. Laisser agir quelques minutes.

Monsieur se rase • À moins que vous aimiez vous promener le visage couvert de petits carrés blancs de papier hygiénique et démontrer ainsi votre habileté avec un rasoir, vous pouvez arrêter le saignement en frottant les petites coupures avec une pierre d'alun.

POMMADE MAISON

La mère d'un de mes amis préparait toujours un petit pot de pommade pour ses garçons qui aidaient leur père à bûcher du bois. Dès qu'ils partaient pour le travail, ils glissaient le petit pot dans la poche de leur pantalon.

La recette est simple : elle râpait et écrasait une carotte crue pour en faire une purée. Vous pouvez utiliser le mélangeur et ajouter quelques gouttes d'eau pour obtenir une purée plus onctueuse.

Cette pommade est excellente pour couvrir les petites blessures et égratignures. Elle accélère la cicatrisation.

Les p'tits trucs de Louise

Il est important de nettoyer la plaie avec de l'eau claire ou savonneuse pour enlever tous les petits débris comme le sable, la terre et les cailloux sur l'éraflure ou la coupure. En recouvrant la blessure d'un pansement, vous accélérerez la guérison. Changez-le tous les jours.

Si le pansement colle à la plaie, n'essayez pas de l'arracher. Humectez-le d'huile d'olive ou d'huile minérale pour bébés. Laissez reposer quelques secondes avant de le retirer doucement.

PIQÛRES D'INSECTES

Ma grand-mère disait

Pour sécher nos larmes après une piqûre de guêpe ou d'abeille, ma grand-mère massait immédiatement notre peau rougie avec une tranche d'oignon cru et essayait de retirer le dard avec une pince à épiler. Et moi... je n'arrêtais pas de pleurer.

Croyance populaire

Pour soulager une piqûre de guêpe ou d'abeille, on approchait souvent une allumette ou une cigarette allumée le plus près possible de la peau blessée, sans la toucher. La chaleur contribue à dilater les vaisseaux sanguins, facilitant l'extraction du dard.

Des problèmes... des solutions

Une compresse d'eau salée ou additionnée de bicarbonate de soude ainsi qu'une application de calamine soulagent les piqûres.

Un sac de glace atténue la douleur.

Tout comme le truc de l'allumette, vous pouvez chauffer la lésion en dirigeant le jet d'un sèche-cheveux sur l'inflammation.

Mâchez une feuille de plantain lavée. Appliquez la pâte ainsi obtenue sur les piqûres pour diminuer l'enflure et les démangeaisons.

Un mal... un remède

Piqûre de guêpe • Nettoyez la piqûre avec de l'eau savonneuse ou frottez-la avec un pain de savon.

Pour vous dépanner, si vous êtes en pleine nature et n'avez rien d'autre sous la main, frottez la lésion avec du sable ou de la terre. La douleur disparaîtra rapidement. Lavez bien votre peau avec un savon antiseptique dès le retour à la maison.

Piqûre de maringouin • Pour soulager immédiatement l'irritation au moment où vous sentez l'insecte vous piquer, appliquez un peu de salive sur la peau sensible.

Frottez les piqûres avec des feuilles des plants de tomates ou des feuilles de poireau pour soulager l'irritation.

Écrasez une fleur de géranium entre vos doigts et appliquez-la sur la piqûre. Soulagement instantané !

Le persil frais broyé, du miel ou une tranche de kiwi appliqués sur la piqûre d'insecte apportent un apaisement à la démangeaison.

Frottez la piqûre avec un pain de savon humide.

Les p'tits trucs de Louise

Pour soulager les piqûres de maringouin, posez une compresse imbibée de lait. Le vinaigre ou le jus de citron sont aussi efficaces.

Pour enlever le dard d'une guêpe dans la peau, évitez d'utiliser la pince à épiler. Il est préférable de l'extraire en raclant d'un coup sec avec le côté non tranchant d'un couteau ou le bord d'une carte de crédit. Le fait de tirer sur le dard permet au venin de se répandre encore plus sous la peau.

Pour éloigner les moustiques • Portez des vêtements de couleur pâle et évitez les produits parfumés.

Il semblerait que les moustiques détestent l'odeur de l'huile pour bébé. Appliquez-en sur la peau pour éviter les piqûres.

Les produits à base de citronnelle sont aussi efficaces.

Les feuilles d'assouplissant textile glissées dans les vêtements ont aussi la cote. Certains y croient... d'autres sont sceptiques.

Même tendance pour le dernier truc à la mode : vaporiser du Listerine sur la terrasse éloignerait les maringouins. J'ai testé ce truc... je suis sceptique... mais je vous assure que les maringouins qui m'ont piquée avaient l'haleine fraîche !

Rhumatismes

Ma grand-mère disait

Rien de mieux que d'appliquer une bonne compresse pour soulager les rhumatismes. Ma grand-mère mélangeait une partie de sel à deux parties de térébenthine. Après avoir bien agité la solution, elle appliquait cette émulsion sur ses membres endoloris. Voilà l'ancêtre de tous les onguents que l'on trouve en pharmacie et qui procurent une certaine chaleur.

Croyances populaires

Dans toutes les régions du Québec, le truc de la petite pomme de terre était connu pour « absorber » le mal. On conseillait de glisser dans sa poche, tous les matins, une petite pomme de terre et de faire de bonnes promenades au cours de la journée.

Au bout de quelques jours, on constatait qu'elle était devenue dure, noire et desséchée ; il fallait alors la remplacer. Ce truc très ancien est encore pratiqué de nos jours. Effet placebo ou magie de la pomme de terre, il semble que les douleurs rhumatismales s'en trouvent diminuées. L'amidon contenu dans la pomme de terre lutterait contre l'inflammation et provoquerait un relâchement des tissus enflammés.

En France, on avait l'habitude de glisser quelques marrons dans la poche de pantalon. Tout comme la pomme de terre, le marron apportait un certain bienfait.

Une deuxième croyance, plus difficile à expliquer, consistait à « attacher son rhumatisme » à un arbre avec un fil, en disant ces mots : « Rhumatisme, je t'attache », et le rhumatisme disparaissait.

Généralement, pour calmer les douleurs rhumatismales, on recherchait la chaleur. On appliquait alors des compresses chaudes ou un oreiller réchauffé.

Un mal... un remède

Détacher trois ou quatre grandes feuilles d'un chou vert. Enlever les grosses nervures et aplatir avec un rouleau à pâtisserie. Appliquer les feuilles sur la zone douloureuse. Recouvrir d'une bande de lainage. Répéter le traitement trois fois par jour.

Appliquer une compresse d'huile de foie de morue.

Préparer une tisane avec de l'écorce de frêne. Ce remède indien est connu dans plusieurs régions du Québec.

Amener à ébullition 250 ml (1 tasse) de vinaigre, 250 ml (1 tasse) d'eau et 10 ml (2 c. à thé) de poivre noir. Laisser refroidir la solution et masser les zones douloureuses.

Boire 2 cuillerées de vinaigre blanc et 2 cuillerées de miel diluées dans un demi-verre d'eau, trois fois par jour.

Boire 2 cuillerées de vinaigre mère de cidre (disponible chez les pomiculteurs) dans un verre d'eau, tous les matins.

Les p'tits trucs de Louise

Cette recette m'a été transmise par mon père qui la tenait de monsieur Wilfrid Perron, un vieil ami, horticulteur reconnu de la région de Laval.

Dans un bol, déposez 30 grammes (environ 1 once) de graines de céleri. Versez 500 ml (2 tasses) d'eau bouillante et laissez reposer le tout pendant 24 heures.

Filtrez ensuite la potion et ajoutez 30 ml (2 c. à soupe) de whisky.

Conservez-la dans un contenant hermétique au réfrigérateur.

Matin et soir, buvez-en un petit verre à rasade. Poursuivez le traitement pendant un mois ou plus.

À défaut de graines de céleri, faites bouillir un pied de céleri coupé en morceaux jusqu'à ce qu'ils soient mous. Conservez l'eau de cuisson filtrée au réfrigérateur. Buvez-en un demi-verre, matin et soir.

Rhume

Ma grand-mère disait

Selon une vieille pratique, ma grand-mère ingénieuse faisait macérer de la gomme de sapin dans du gin. Elle diluait ensuite 5 ml (1 c. à thé) de cette mixture dans 60 ml (¼ tasse) d'eau. Toutes les trois heures, l'alité avait droit à un petit verre de cette potion magique.

Pour nous, les enfants, elle préparait un sirop sans alcool avec les jeunes pousses de sapin.

Dans un grand bocal, elle déposait des pousses vert tendre (environ 2 cm ou 1 po) du grand sapin planté à l'arrière de la maison. Elle les couvrait de cassonade dans les mêmes proportions. Elle répétait cette opération jusqu'à ce que le bocal soit bien rempli. Elle fermait le bocal, le déposait sur le rebord de la fenêtre, où il était exposé au soleil une bonne partie de la journée. Après un mois, le sucre fondu laissait au fond du bocal un liquide que grand-maman filtrait dans un tamis et embouteillait en prévision des mauvais jours.

Lorsque nous étions enrhumés ou avions la gorge irritée, elle nous donnait une petite cuillerée de ce sirop.

Croyances populaires

Pour prévenir le rhume, chaque semaine durant la saison froide, on recommandait de boire une tasse de lait dans laquelle on avait fait infuser quelques feuilles de sauge pendant 5 minutes.

Certains hivers, ce truc fonctionnait bien. D'autres fois, la potion magique ne remplissait pas ses promesses.

On pouvait alors essayer ce truc qui avait le pouvoir de calmer rapidement les symptômes : couper un oignon en morceaux et les déposer dans une assiette placée à proximité de la tête pendant la nuit. Au petit matin, on devait se réveiller le nez bien au sec.

Un mal… un remède

Boire beaucoup de liquides est une des premières recommandations à suivre au début d'un rhume. On connaît aussi les vertus du miel apaisant pour la gorge. La préparation de tisanes et le gargarisme soulagent aussi les symptômes du rhume.

Se gargariser avec de l'eau salée.

Couper une tranche d'oignon, la déposer dans un verre d'eau chaude. Retirer la tranche d'oignon après 5 minutes. Boire cette eau à petites gorgées tout au long de la journée.

Prendre des suppléments de vitamine C (vérifier la posologie suivant les tranches d'âge).

Réchauffer une petite quantité d'huile de palme. Masser la poitrine, la gorge et derrière les oreilles avant d'aller au lit.

Boire une tasse de vin chaud additionné de cannelle ou une tasse de cidre chaud.

Une autre méthode populaire pour « faire tomber la fièvre » était de faire asseoir le malade et de lui faire tremper les pieds dans un bain d'eau aussi chaude qu'il pouvait l'endurer. Ce bain activait la transpiration. Après une vingtaine de minutes, il allait se coucher dans des draps de pure laine. Le lendemain, il éprouvait un grand soulagement.

Amener à ébullition un verre d'eau. Retirer la casserole de la cuisinière. Ajouter 2 gousses d'ail hachées finement. Couvrir la casserole pendant deux minutes. Passer le liquide à travers un tamis. Ajouter le jus d'un citron et 30 ml (2 c. à soupe) de miel.

Boire cette tisane le soir avant le coucher.

◄═❮❅❯ FUMIGATION MAISON ❮❅❯►─

Préparer une fumigation : amener à ébullition une casserole d'eau. Retirer de la cuisinière. Ajouter quelques feuilles d'eucalyptus ou de la camomille. Placer votre visage au-dessus de la casserole. Couvrir la tête avec une serviette pour former une tente. Respirer les vapeurs atténuera la congestion nasale.

LIMONADE À LA GRAINE DE LIN

- 30 ml (2 c. à soupe) de graines de lin
- 1 litre (4 tasses) d'eau bouillante
- 250 ml (1 tasse) de sucre
- le jus et le zeste de 3 citrons

Faire blanchir les graines de lin avant de les verser dans l'eau bouillante. Laisser mijoter pendant 45 minutes. Ajouter le sucre et le zeste des citrons. Laisser reposer une quinzaine de minutes. Filtrer et ajouter le jus de citron. On peut servir cette limonade froide ou chaude. Boire un petit verre à « shooter » toutes les heures.

INFUSION À L'EUCALYPTUS

Dans ½ litre (2 tasses) d'eau, ajouter 1 bâton de cannelle, 4 feuilles d'eucalyptus, 4 clous de girofle. Amener à ébullition et laisser infuser 10 minutes. Filtrer et boire trois ou quatre petits verres par jour en y ajoutant un filet de jus de citron et quelques gouttes de miel.

Et si c'était la grippe ? • Vous étiez en bonne santé il y a quelques heures et vous sentez que la terre s'effondre sous vous. Douleurs musculaires, maux de gorge, maux de tête, fièvre, frissons. Vous vous sentez tellement fatigué... vous rêvez de vous étendre dans votre lit au plus tôt !

Vous avez trouvé la première solution à votre problème... du repos.

La prise d'analgésiques vous apportera un soulagement et il est important de boire beaucoup de liquides.

Si vos symptômes vous inquiètent, consultez un médecin.

Soulager les courbatures • Mélanger 15 ml (1 c. à soupe) de raifort à 250 ml (1 tasse) d'huile d'olive. Laisser la solution reposer avant de l'utiliser pour masser la peau où l'on sent des douleurs musculaires.

Les p'tits trucs de Louise

Le bouillon de poulet maison est reconnu pour soulager les symptômes du rhume. La vapeur du bouillon favorise le décongestionnement du nez. De plus, on lui prête des propriétés anti-inflammatoires.

⋯⋅❈ BOUILLON MAISON ❈⋅⋯

Dans une grande casserole, on couvre d'eau froide quelques morceaux de poulet (pilons, hauts de cuisse, ailes). On ajoute 2 carottes pelées, coupées en gros morceaux, 1 ou 2 branches de céleri coupées en gros morceaux, 1 blanc de poireau ou 1 oignon, 1 feuille de laurier, du thym, du persil et quelques grains de poivre. On amène à ébullition en écumant souvent l'écume grisâtre qui se forme à la surface du bouillon. On laisse mijoter le tout à découvert pendant 2 à 3 heures. On filtre bien le bouillon qu'on sale au goût avant de servir.

SAIGNEMENTS DE NEZ

Ma grand-mère disait

Surtout, ne te mouche pas ! Grand-maman nous faisait asseoir, penchait légèrement notre tête vers l'avant et pinçait fortement les ailes de notre nez. Progressivement, elle relâchait prise jusqu'à ce que le saignement cesse complètement. Ce traitement était accompagné d'une sucette glacée qui avait aussi un effet bénéfique sur le saignement puisqu'elle refroidissait notre palais.

Croyances populaires

Ce truc très bizarre a été particulièrement populaire dans tout l'est du Québec. On plaçait, sous la langue de la personne

qui saignait de nez, un petit papier blanc. En quelques minutes, le saignement s'arrêtait.

Déposer un trousseau de clefs ou un objet froid sur la nuque pour arrêter le saignement s'avérait aussi populaire. On suggérait également d'attacher une clef à une ficelle et de la laisser pendre dans le dos de la personne qui saignait du nez. Dans les deux cas, c'est le contact froid sur la peau qui devait agir.

Vous avez sans doute entendu dire que certaines personnes possédaient un don pour arrêter le sang. On a longtemps cru que ce savoir-faire se transmettait automatiquement au septième enfant de la famille. Il suffit alors de penser à cette personne en cas de saignement pour voir le don opérer miraculeusement.

Vous êtes sceptiques... pourtant, certaines personnes prêtent foi à ce don.

Un mal... un remède

Introduire une ouate imbibée de jus de citron ou de vinaigre de cidre ou tout simplement une gaze mouillée pour boucher la narine.

S'allonger sur le dos, la tête relevée par un oreiller. Il ne faut pas basculer la tête vers l'arrière, car le sang coulerait dans la gorge.

Sucer des glaçons pour refroidir le palais situé à proximité du nez donne aussi de bons résultats.

Se moucher • Contrairement à la croyance de ma grand-mère, plusieurs spécialistes recommandent de se moucher vigoureusement dès le début d'un saignement de nez pour faciliter l'évacuation d'un caillot qui pourrait se former. Après vous être mouché, comprimez la narine une quinzaine de minutes.

Avant de vous moucher, il serait bon d'évaluer le type de saignement dont vous souffrez. Un goutte à goutte, un filet ou un flot ? Un écoulement goutte à goutte ne provoquera pas la formation

de caillot : vous pouvez donc commencer le traitement en pinçant le nez.

Taux d'humidité • Si vous saignez régulièrement du nez, il serait pertinent de vérifier le taux d'humidité de votre maison. Un environnement trop sec peut les provoquer. L'achat d'un humidificateur pourrait alors régler votre problème.

Les p'tits trucs de Louise

Placez votre pouce entre la lèvre et la gencive sous la narine qui saigne. Appuyez fortement contre votre nez. Généralement, la pression ainsi exercée arrête les saignements en quelques minutes.

Lorsque le saignement semble s'estomper, appliquez une compresse très froide sur les ailes du nez.

SINUSITE

Ma grand-mère disait

Ma grand-mère prévoyait les coups durs ! Comme elle l'avait appris de sa mère, tous les automnes elle cousait de petites pochettes de coton pour y déposer un petit morceau de camphre. Dès novembre, grand-maman attachait une petite pochette à notre camisole blanche. Il n'était pas question de la retirer et son odeur persistante empêchait notre nez de se boucher. Nous évitions ainsi les sinusites et les congestions nasales. Par contre, comme nous étions plusieurs au couvent à porter un petit sachet de camphre, l'odeur devenait souvent très envahissante dans les classes.

Croyance populaire

Dès l'apparition d'une sinusite, qu'on appelait alors « rhume de cerveau », les Anciens recommandaient de respirer de l'iode. On utilisait un flacon à large ouverture et l'on inhalait ses vapeurs.

Un mal... un remède

La plupart de ces trucs enlèveront de la pression au niveau des sinus. Il est important de se moucher régulièrement pour décongestionner le nez, les sinus et les oreilles.

Boire une tisane chaude à base de thym frais ou séché.

Couper un oignon en deux et en tenir une moitié sous les narines. Respirer profondément afin que le jus d'oignon puisse contrer la congestion nasale.

Manger des plats très épicés contenant de l'ail et des piments. Vous aurez les yeux larmoyants et le nez coulera.

Manger une bonne soupe chaude en respirant ses vapeurs.

Faire chauffer du vinaigre de cidre dans une petite casserole et en respirer les vapeurs.

Avec les doigts, exercer une pression de chaque côté du nez, là où se font sentir la congestion et la douleur. Appuyer fortement pendant une vingtaine de secondes. Relâcher et répéter le traitement à quelques reprises. Cette pression active la circulation sanguine dans les sinus et apporte un soulagement.

DÉCONGESTIONNANT

Amener à ébullition 4 ou 5 oignons coupés en morceaux dans environ 1 litre (4 tasses) d'eau. Faire mijoter à couvert deux heures sur feu très doux. Filtrer ensuite le jus, le laisser refroidir et en boire un petit verre, à petites gorgées, plusieurs fois par jour.

PULVÉRISATEUR NASAL

Mélanger dans 250 ml (1 tasse) d'eau tiède 2 ml (½ c. à thé) de

sel et une petite pincée de bicarbonate de soude. Verser dans une bouteille nasale ou utiliser une poire nasale. Bloquer une narine et remplir l'autre narine. Répéter le traitement dans l'autre narine. Moucher le nez doucement.

Les p'tits trucs de Louise

La vapeur peut soulager la sinusite. Une douche très chaude s'avère probablement la solution la plus rapide. Douchez-vous et ensuite laissez couler seulement l'eau chaude. Assoyez-vous quelques minutes dans la salle de bains remplie de buée. Vous pouvez répéter deux fois par jour ce traitement qui soulagera les sinus.

TOUX

Ma grand-mère disait

Il n'y a rien de mieux pour soulager la toux et la congestion qu'un cataplasme de moutarde qu'elle appelait « mouche de moutarde ».

La recette consistait à diluer 60 ml (¼ tasse) de moutarde sèche dans de l'huile d'olive pour obtenir une pâte assez molle, facile à étendre.

Elle étalait cette pâte entre deux morceaux de flanelle préalablement réchauffés légèrement dans le four. Sur la poitrine ou dans le dos du malade, grand-maman appliquait ces deux morceaux de tissu en faisant bien attention que la préparation ne touche pas la peau.

Et ça chauffait... Elle nous encourageait en nous disant qu'une minute était vite passée. Nous la trouvions longue... cette minute.

Elle retirait ensuite le cataplasme et nous lavait pour s'assurer qu'il ne restait aucune trace de pâte qui aurait pu irriter notre peau.

Le risque de brûlure étant élevé, ce traitement demandait une grande vigilance.

Croyance populaire

On savait déjà que les oignons pouvaient calmer la toux. Au lieu d'en préparer un sirop, les Anciens en plaçaient quelques-uns sous le lit du malade en espérant que les vapeurs le soulageraient. Malheureusement, la guérison tardait à venir !

Un mal... un remède

Ces deux sirops à base de navet peuvent être administrés à raison de 15 ml (1 c. à soupe) quatre à cinq fois par jour.

Creuser une large cavité dans un navet et la remplir de sucre. En quelques heures, un sirop épais se forme. Ce sirop est efficace contre les toux persistantes.

Couper en petits morceaux un navet et une carotte. Couvrir les légumes d'eau en ajoutant une grosse cuillerée de sucre. Le sirop sera prêt le lendemain et soulagera les toux sèches.

Boire un verre de lait additionné de miel.

Faire bouillir pendant une dizaine de minutes 1 litre (4 tasses) de lait après y avoir ajouté 25 figues sèches. Filtrer et boire le liquide très chaud.

Déposer quelques gouttes de miel sur la langue, le plus près possible de la gorge. Le miel a un effet adoucissant.

Faire chauffer légèrement 15 ml (1 c. à soupe) d'huile d'olive. Ajouter une pincée de cumin et un filet de miel. Avaler cette mixture tiède.

Humidifier la chambre du malade. On peut y suspendre des vêtements humides qui sécheront au cours de la nuit et maintiendront un bon taux d'humidité pendant plusieurs heures.

Faire un massage sur la poitrine, la gorge et le dos avec une crème camphrée.

Prendre un bain chaud auquel on aura ajouté quelques gouttes d'huile essentielle d'eucalyptus.

Toux grasse • Pour soigner une toux grasse, faire bouillir 3 à 4 branches de thym dans 250 ml (1 tasse) d'eau. Retirer le thym quand l'eau devient jaunâtre. Ajouter 10 ml (2 c. à thé) de miel. Boire à petites doses tout au long de la journée.

Pour diminuer la formation de mucus, souvent cause de quintes de toux, on doit favoriser une alimentation riche en riz, poissons, amandes, fruits, légumes, infusions d'herbes. Éviter le sucre, le blé, les viandes, les tomates et les produits laitiers, qui augmenteront le taux d'acidité du corps.

RECETTES MAISON

Dans 250 ml (1 tasse) d'eau, faire bouillir un citron entier pendant quelques minutes. Retirer le citron et le couper en deux. Extraire le jus. Ajouter 2 ml (½ c. à thé) de miel. Bien mélanger. Posologie : 5 ml (1 c. à thé) au besoin. Le citron hydrate la gorge en stimulant les glandes salivaires.

Mélanger 15 ml (1 c. à soupe) de miel à 5 ml (1 c. à thé) de beurre non salé. Ajouter environ 10 gouttes de jus de citron. Manger cette pâte à petites doses.

Mélanger à parts égales de la glycérine liquide, du miel, du jus de citron et du cognac. Avaler à petites doses.

SIROP DE MÉLASSE

• 160 ml (⅔ tasse) de mélasse

• 60 ml (¼ tasse) de vin rouge

• 5 ml (1 c. à thé) de gingembre frais

• 2 ml (½ c. à thé) de poivre noir moulu

Bien mélanger les ingrédients et prendre 15 ml (1 c. à soupe) toutes les trois heures.

◄•⟨§ INFUSION D'ÉCORCES §⟩•►

Ce vieux remède de grand-mère était populaire pour combattre les quintes de toux dues à une maladie respiratoire ou à une bronchite.

Dans une grande marmite, ajouter une poignée de chacun des ingrédients suivants à 2 litres (8 tasses) d'eau :

• écorce d'épinette rouge

• écorce de pruche

• écorce de frêne

• gomme de sapin

Laisser mijoter le tout à découvert pendant une heure et laisser reposer deux heures avant de filtrer le liquide. Ajouter de la mélasse pour sucrer l'infusion. Prendre 45 à 60 ml (3 à 4 cuillerées à soupe) de ce sirop avant les repas et le coucher.

On pouvait aussi tout simplement diluer de la gomme de sapin dans du lait chaud et boire cette potion pour soulager une pleurésie ou une vilaine toux.

Les p'tits trucs de Louise

Les oignons constituent un excellent décongestionnant pour les sinus et apaisent la toux.

1ʳᵉ recette à base d'oignons • Amener à ébullition 4 ou 5 oignons coupés en morceaux dans environ 1 litre (4 tasses) d'eau. Faire mijoter deux heures sur feu doux. Passer ensuite le jus à travers un tamis. Laisser refroidir et boire un petit verre de cette potion magique légèrement sucrée, à petites gorgées, plusieurs fois par jour.

2ᵉ recette de sirop à base d'oignons • Hacher finement un oignon et deux à trois feuilles de chou. Les couvrir de cassonade. Laisser reposer 48 heures dans un bol couvert avant de filtrer le sirop. Boire à petites gorgées pour calmer la toux.

Conserver ces sirops au réfrigérateur.

VERRUES

Ma grand-mère disait

Grand-maman appliquait un vieux truc pratiqué depuis des lunes dans sa famille et qu'elle avait appris de sa mère. Elle frottait la verrue avec une « couenne de lard » et allait l'enterrer dans le jardin nous assurant que la verrue disparaîtrait dès que le morceau de lard serait désintégré dans la terre.

Croyances populaires

Nombreuses sont les croyances pour faire disparaître les verrues.

On recommandait de frotter la verrue avec un sou qu'on avait porté à la bouche pour bien le mouiller de salive et d'aller le cacher afin de ne plus le revoir.

On pouvait aussi frotter la verrue avec une tranche de pomme de terre et la jeter très loin, à un endroit où l'on ne repasserait pas.

Dans la même veine, on croyait que frotter la verrue avec un pois sec qu'on lançait derrière son dos la ferait disparaître. Par contre, celui qui mettrait le pied sur le pois la contracterait à son tour.

Un mal... un remède

Recouvrir la verrue avec du vernis incolore. En quelques jours, elle se desséchera.

Frotter la verrue avec un bâton de craie.

Couper une gousse d'ail en deux et en poser un morceau sur la verrue. Couvrir le tout d'un pansement. Remplacer le morceau d'ail après quelques heures.

Couper un oignon en deux et en faire tenir pour la nuit une moitié sur la verrue avec un film plastique. Répéter le traitement le lendemain avec l'autre moitié de l'oignon.

Appliquer un mélange de vinaigre et de glycérine à parts égales sur la verrue, une fois par jour, jusqu'à ce qu'elle disparaisse.

Couper une feuille d'aloès (*aloe vera*). Déposer un petit morceau sur la verrue, le côté gel touchant à la peau. Couvrir la verrue d'un pansement. Répéter l'application pendant quelques jours.

Amener à ébullition une petite quantité de vinaigre de cidre pour le faire réduire de moitié. Appliquer une goutte de vinaigre sur la verrue, deux à trois fois par jour. Couvrir avec un pansement ou un simple ruban adhésif.

L'argile verte fait disparaître les verrues plantaires. Il suffit d'en déposer une très petite quantité sur la verrue et de recouvrir le tout d'un pansement pour la nuit. Répéter le traitement pendant deux à trois semaines.

Se procurer une figue encore verte, non mûrie. La piquer afin d'extraire le liquide laiteux. En appliquer une petite goutte matin et soir sur la verrue qui disparaîtra en peu de temps.

Les p'tits trucs de Louise

Laissez tremper l'écorce d'un citron ou d'une orange coupée en petits carrés dans un verre de vinaigre pendant une dizaine d'heures. Appliquez ensuite un morceau de cette écorce sur la verrue. Faites tenir le tout avec un bandage pendant quelques heures ou durant la nuit. Répétez le traitement pendant quelques jours.

Comme les verrues plantaires proviennent d'un virus, attention à ne pas marcher pieds nus dans les vestiaires, à la piscine. Portez des sandales de plastique que vous garderez même sous la douche.

YEUX

Ma grand-mère disait

Lorsque nous avions les yeux rougis et que ma grand-mère soupçonnait un début d'irritation, elle faisait bouillir une petite quantité de lait qu'elle laissait ensuite refroidir pour laver nos paupières avec ce remède maison.

Croyance populaire

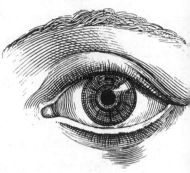

Lorsqu'un orgelet apparaissait, la coutume voulait qu'on le frotte avec un bijou en or pour arrêter les démangeaisons. Si vous désirez essayer ce truc, prenez soin de désinfecter le bijou avant de le passer sur l'orgelet. Chose assez surprenante, ce truc a donné de bons résultats en moins de 24 heures.

On croyait aussi que si l'œil droit papillotait fréquemment, c'était un présage de bonheur. Par contre, l'œil gauche... était présage de malchance.

Un mal... un remède

Pour calmer une irritation • Laver les yeux avec une infusion faible de thé.

Une irritation aux yeux des bébés était soulagée avec une application de lait maternel.

Baigner l'œil irrité dans une infusion de camomille refroidie.

Râper une pomme de terre, en appliquer une petite quantité sur un pansement que vous placez sur l'œil pendant une dizaine de minutes.

Pour un orgelet • Appliquer sur l'œil un cataplasme, aussi chaud que possible, de farine de riz.

L'œil au beurre noir • Un truc bien connu des boxeurs consiste à couvrir l'œil tuméfié, le plus tôt possible après le coup, d'une tranche de steak frais. Ce truc diminue grandement l'enflure.

Un deuxième truc populaire était de badigeonner tout simplement la contusion avec du beurre. Ce truc découle sûrement de l'expression « œil au beurre noir » où on faisait référence à la couleur du beurre dans le poêlon lorsqu'on faisait frire un œuf. Le beurre noirci colorait légèrement le blanc de l'œuf, noircissait le contour en laissant intact le jaune de l'œuf qui représente la pupille.

Les yeux pochés • Pour reposer et dégonfler les paupières, appliquer deux sachets de thé qui auront infusé quelques minutes.

Appliquer une tranche de concombre sur chaque paupière durant une vingtaine de minutes.

On peut aussi placer un glaçon sur chaque paupière pour les voir dégonfler « à vue d'œil ».

On a souvent parlé de ce truc : appliquer de la crème pour hémorroïdes sous les yeux pour réduire les yeux pochés. On peut étaler la crème sur la peau enflée... mais attention à ne pas toucher l'intérieur de la paupière.

Une poussière dans l'œil • Un des trucs les plus populaires consiste à déposer une graine de lin dans l'œil. La graine de lin suit le contour de la paupière interne et ressort rapidement de l'œil, emportant avec elle toutes les poussières irritantes.

Les p'tits trucs de Louise

Si une poussière se loge dans un œil, vous aurez tendance à frotter cet œil pour la déloger. Essayez ce truc souvent efficace. Frottez plutôt l'autre œil. Bizarrement, la poussière logée dans l'œil irrité glissera automatiquement vers l'angle interne et sera facile à enlever.

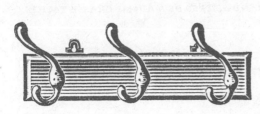

5

ORGANISER
ET SE DÉBROUILLER

– Oh ! Mon Dieu ! c'est rien de compliqué.
Juste une vieille recette de bouilli de volaille de ma grand-mère.
– Oui, peut-être, mais il a un petit quelque chose de spécial.
– Ça pourrait être le fait que j'ai mis des os à moelle.
Ça change pas mal le goût d'un bouilli.

Arlette Cousture, *Les Filles de Caleb*

Grand-mère, après avoir confectionné une belle perruque
de cheveux jaunes, la frisa en ondulations à son fer
chauffé au-dessus de la lampe et ensuite
en couvrit la tête de ma « catin ». Je ne pouvais
plus cacher mon émerveillement.
– Tu sais donc tout faire ? demandai-je.
– Presque tout, dit-elle rêveusement.
Les jeunes d'aujourd'hui ne connaissent pas
le bonheur et la fierté de se tirer d'affaire avec ce
qu'on peut avoir sous la main. Ils jettent tout.

Gabrielle Roy, *La Route d'Altamont*

L'ARMOIRE À PHARMACIE

Ma grand-mère disait

Ma grand-mère conservait les médicaments, les potions et les onguents dans une grande armoire blanche qui montrait quelques signes d'usure, des taches de rouille, mais qui fermait avec une clef qu'il était inutile de demander. Grand-maman gardait le contrôle sur cette armoire et empêchait les enfants de s'en approcher. Elle y rangeait une bouillotte en caoutchouc rouge recouverte d'une housse qu'elle avait tricotée et qui représentait un petit chat. Ce chaton a soulagé beaucoup de maux de ventre et réchauffé de petits pieds glacés.

Croyance populaire

La plus grande pharmacie familiale qu'on pouvait trouver au Québec, au début de la colonisation, était la pharmacie des Amérindiens, puisque toute la nature servait à préparer des remèdes à base de plantes. Au XVIIIe siècle, ils fabriquaient du sucre d'érable âcre et grossier qu'ils vendaient aux hôpitaux de Montréal et de Québec dans des récipients faits d'écorce d'arbre, qu'ils appelaient « houragans ». Le sucre d'érable était toujours présent dans l'armoire familiale puisqu'on lui reconnaissait des vertus pour apaiser la toux et soulager les « rhumes de poitrine ».

Des problèmes... des solutions

Liste • Pour éviter la confusion, dressez une liste des médicaments, des antibiotiques prescrits par le médecin, mais aussi des remèdes en vente libre à la pharmacie (sirop pour le rhume, analgésique, pastilles) pour chacun des membres de la famille. Indiquez les effets secondaires que vous avez remarqués et la date où le médicament a été utilisé la dernière fois.

Le grand ménage • Il est important de mettre de l'ordre régulièrement dans l'armoire à pharmacie pour éliminer les médicaments périmés. Pour vous faciliter la tâche, lorsque vous ouvrez un tube d'onguent, une bouteille de gouttes nasales ou ophtalmologiques, indiquez la date sur la boîte du produit. Généralement, on renouvelle l'achat de ces remèdes après un an. Conservez tous les médicaments dans les contenants d'origine. Rapportez à votre pharmacien les médicaments que vous seriez tentés de jeter à la poubelle et vérifiez avec lui si vous avez un doute sur la date de péremption d'un produit.

Conservez dans cette armoire la liste de tous vos médicaments, les numéros d'assurance maladie et les numéros de téléphone d'urgence (hôpitaux, centre antipoison, médecins, cliniques) et les carnets de santé des enfants.

Les p'tits trucs de Louise

L'armoire dans la salle de bains n'est pas l'endroit idéal pour conserver les médicaments. L'humidité et la vapeur peuvent altérer les onguents, les pilules et les produits plus fragiles.

Rangez-les dans une armoire, hors de la portée des enfants et réservez la pharmacie de la salle de bains pour la trousse de premiers soins. Vous y placerez les pansements et les compresses, les bandes extensibles pour maintenir les pansements, les bandelettes autocollantes pour rapprocher les lèvres d'une plaie superficielle, les bouteilles d'eau oxygénée et d'alcool à friction, le thermomètre, les ciseaux et tous les articles qui serviront à soulager les égratignures et les petites blessures.

Si vous devez conserver des médicaments dans le réfrigérateur, prenez soin de les glisser dans une boîte plastifiée hermétique et difficile d'accès pour les enfants.

LA BIBLIOTHÈQUE

Ma grand-mère disait

Les beaux et anciens livres de la famille étaient gardés dans une bibliothèque vitrée à sections empilables qui les protégeait de la poussière. Grand-maman réservait la dernière section, la plus basse, pour ranger les livres d'enfants. Nous n'avions qu'à soulever la porte coulissante pour retrouver nos bandes dessinées et nos livres de la comtesse de Ségur.

Le petit truc rigolo de grand-papa • Mon grand-père possédait plusieurs anciens livres de chansons, de théâtre et de folklore auxquels il tenait comme à la prunelle de ses yeux. Sur la page de garde, il écrivait toujours : « Ce livre a été volé à J. Eugène Daignault. » Malheur à celui qui empruntait un livre et le déposait dans sa propre bibliothèque.

Croyance populaire

Les livres mis à l'index par la religion catholique piquaient notre curiosité. Il nous arrivait au couvent d'entendre parler d'un auteur dont l'écrit avait été mis à l'index, parce qu'il avait refusé d'en censurer le contenu. Les religieuses, qui craignaient les idées trop libérales, nous affirmaient que nous serions excommuniées si nous avions l'audace de lire de tels ouvrages. Ces livres inscrits sur une liste rouge ont pu réintégrer les bibliothèques depuis la fin du concile Vatican II en 1965.

Des problèmes... des solutions

Protéger vos livres en les plaçant dans une bibliothèque. Attention à l'exposition au soleil, qui décolore les reliures et fait jaunir le papier.

Épousseter vos livres n'est pas une lubie ! La poussière endommage en effet les reliures. Utiliser un chiffon antistatique pour bien la capter et non la répandre entre les pages.

Profiter de l'occasion pour dépoussiérer les étagères. Attention à ne pas remettre les livres sur les tablettes tant qu'elles sont encore humides.

Pour enlever les taches, spécialement celles de gras, sur les pages d'un livre, frottez-les avec de la mie de pain. Quant aux taches de moisissures, les frotter avec un coton-tige imbibé d'eau oxygénée permet d'en atténuer l'apparence.

Il est possible de remettre en état une page déchirée d'un livre en enduisant les bordures de blanc d'œuf. Assemblez la page déchirée et laissez sécher complètement, le livre bien ouvert.

Les p'tits trucs de Louise

Si vous vous passionnez pour les livres anciens, vous êtes peut-être un adepte des ventes-débarras, qui permettent de se procurer à bon prix de petites merveilles.

Pour tuer tout insecte qui pourrait être logé entre les pages, mettez les livres nouvellement acquis dans un sac plastifié. Les petits intrus ne survivront pas à ce traitement. Aérez ensuite les livres dans un endroit frais et sec, car les ennemis des livres sont la chaleur et l'humidité : la chaleur fait rétrécir le papier et craqueler la reliure, tandis que l'humidité favorise l'apparition de taches jaunâtres ainsi que de moisissures, et même la multiplication de petits insectes.

Si vous devez entreposer des livres au sous-sol, glissez quelques briquettes de charbon de bois dans les boîtes cartonnées avant d'y ranger les documents. Elles absorberont l'humidité. Attention à ne pas déposer les boîtes cartonnées sur le sol. Un dégât d'eau pourrait s'avérer catastrophique.

LA CUISINE EN TEMPS DE CRISE

Ma grand-mère disait

Grand-maman me racontait les nombreux trucs que les femmes avaient imaginés lors de la grande crise pour nourrir la famille et boucler le budget. La recette la plus surprenante et probablement la moins appétissante consistait à fabriquer un café à base de croûtes de pain brûlé. On ébouillantait les croûtes de pain pour en filtrer le bouillon. Un petit ajout de sucre et de lait et ce café improvisé semblait satisfaire la famille sans l'empêcher de dormir le soir venu.

Croyance populaire

La légende raconte que madame Georgette Falardeau, épouse du maire de Montréal, Camilien Houde, a élaboré la recette du pouding chômeur pendant la crise économique de 1929 pour remonter le moral des familles qui devaient cuisiner avec peu d'ingrédients durant ces sombres années. Encore aujourd'hui, ce dessert agrémente notre quotidien et occupe une place toute particulière dans nos souvenirs d'enfance.

Des problèmes... des solutions

Les œufs rationnés • Un œuf entier peut être remplacé par deux jaunes d'œufs lors de la préparation d'une recette. Si vous êtes à court d'œufs, le troisième œuf d'une recette peut être remplacé par 15 ml (1 c. à soupe) de fécule de maïs ou 5 ml (1 c. à thé) de levure chimique (poudre à pâte).

Si une recette ne nécessite que des blancs d'œufs, conservez les jaunes inutilisés au réfrigérateur. Versez-les dans un verre et recouvrez-les d'eau froide.

Le pain rassis • Les croûtons sont de simples morceaux de pain rassis, coupés en dés, qu'on peut tremper quelques secondes dans de l'eau froide ou du lait froid et qu'on fait frire ou rôtir au four.

On peut ajouter un soupçon de beurre, d'huile d'olive, d'herbes et d'épices pour les aromatiser.

Passez au mélangeur le pain sec, les biscuits soda brisés ou moins frais que vous vous apprêtiez à jeter à la poubelle. Une excellente chapelure à conserver dans un contenant hermétique.

On récupère... • Si votre salade semble flétrie, faites-la tremper une quinzaine de minutes dans de l'eau tiède, puis passez-la sous l'eau froide : elle retrouvera son croquant.

Lorsque la cassonade est devenue un bloc rigide, déposez un quartier de pomme dans le sac plastifié. Fermez-le et faites-le chauffer de 15 à 30 secondes au four à micro-ondes. Retirez la pomme. La cassonade est maintenant prête à être utilisée ou rangée dans un contenant hermétique.

Si une pellicule blanchâtre flotte à la surface du sirop d'érable, vous pouvez le récupérer. Passez-le à travers une étamine (coton fromagé), puis versez-le dans une casserole et amenez-le à ébullition. Versez-le ensuite dans une bouteille et utilisez-le le plus tôt possible.

Vous avez laissé le riz brûler ? Versez-le dans une autre casserole et couvrez-le de pelures d'oignon pendant une quinzaine de minutes. Retirez les pelures qui auront absorbé le goût âcre et l'odeur de fumée.

Les bananes trop mûres qu'on a gardées au congélateur serviront à cuisiner d'excellents muffins.

Récupérez le bouillon à fondue chinoise pour préparer une soupe ou pour l'ajouter tout simplement à votre recette de sauce à spaghetti.

Les fruits séchés trop secs retrouveront leur texture originale si vous les aspergez d'eau et les déposez dans un petit bol pendant 30 secondes au four à micro-ondes.

Pour rafraîchir les croustilles et les biscuits soda ramollis par l'humidité, déposez-les dans une assiette et mettez-les au four à micro-ondes, de 45 à 65 secondes, à la puissance maximale. Laissez reposer une minute avant de les ranger ou de les servir.

La moutarde de Dijon a séché dans le pot ? Ajoutez-y un filet de vinaigre additionné de sucre et remuez bien pour lui redonner la texture désirée.

Purifiez l'huile de friture en y jetant un blanc d'œuf après chaque utilisation. Le blanc d'œuf récoltera les déchets de la friture. Jetez-le, car il est impropre à la consommation.

Cuisine économique • Brossez les pommes de terre, les panais et les carottes que vous n'aurez pas besoin de peler. Inutile aussi de peler les concombres, les aubergines et les courgettes. Les vitamines sont concentrées dans la peau ou juste en dessous. Par contre, si vous tenez à peler les légumes, utilisez un couteau économe et non un couteau ordinaire trop gourmand.

Cuisinez de bonnes soupes. Peu onéreuses, elles permettent de réduire les portions dans l'assiette qui suivra.

Vous préparez une recette et il vous manque un ingrédient, une épice. Relevez le défi en utilisant un produit que vous avez sous la main dans votre garde-manger.

Cuisinez quelques repas végétariens par semaine. C'est moins coûteux et meilleur pour votre santé.

Ne jetez pas les os du rôti, la carcasse du poulet. Préparez des bouillons qui serviront de base à vos soupes.

Sachez tirer parti de tous les restes de table. Finis les petits contenants qu'on doit vider à la poubelle après quelques jours parce qu'on a oublié de les utiliser.

Achetez les marques maison à l'épicerie. Évitez les repas congelés, les fromages râpés, les mets préparés qui s'avèrent beaucoup plus coûteux que s'ils étaient cuisinés à la maison.

Dressez une liste avant de vous rendre à l'épicerie et résistez aux tentations.

Recettes maison de nos grands-mères

Une livre de beurre en donne deux • Battre en crème une livre (454 g) de beurre. Dissoudre 7 ml (1 ½ c. à thé) de gélatine neutre dans 60 ml (¼ tasse) de lait froid. Chauffer 500 ml (2 tasses) de lait avec 2 ml (½ c. à thé) de sel. Ajouter la gélatine au lait chaud et laisser tiédir à la température ambiante. Verser très lentement le lait sur le beurre ramolli en battant continuellement le mélange. Couler dans un moule et conserver au réfrigérateur.

Ce beurre est délicieux à table, mais ne peut être utilisé pour la confection de pâtisseries.

Le sirop de poteau • Cette recette est encore utilisée pour remplacer le sirop d'érable lorsque son prix dépasse les limites du budget.

Amener au point d'ébullition 375 ml (1 ½ tasse) d'eau et 750 ml (3 tasses) de sucre blanc. Retirer de la cuisinière. Ajouter 15 ml (1 c. à soupe) d'essence d'érable.

La soupe aux patates • En temps de crise, la soupe devient un mets très populaire. Accompagnée d'une tranche de pain, d'un morceau de fromage, elle constitue un repas complet à peu de frais. La soupe aux pommes de terre très présente sur les tables du Québec en 1929 permettait de nourrir une grande tablée.

Cuire 6 à 10 pommes de terre dans l'eau bouillante. Égoutter et passer au tamis pour obtenir une purée à laquelle on ajoute de l'eau bouillante et du lait (en quantité égale) pour obtenir une texture assez liquide. À cette préparation, ajouter un oignon émincé, une cuillerée de beurre, une à deux cuillerées de farine dissoute dans un peu de lait froid, du sel, du poivre, du persil et d'autres herbes du jardin. Lorsque les circonstances le permettaient, on ajoutait à cette soupe une bonne quantité de fromage râpé.

La p'tite bière d'épinette • Un breuvage préparé à la maison et que les gourmets appréciaient les dimanches, lors des réunions familiales.

À 12 litres (3 gallons) d'eau, ajouter 500 ml (2 tasses) de mélasse, 15 ml (1 c. à soupe) de poudre de gingembre, 2 ml (½ c. à thé) de bicarbonate de soude, 15 ml (1 c. à soupe) d'essence d'épinette et 45 ml (3 c. à soupe) de levure de bière. Brasser le tout, filtrer et mettre en bouteilles. Conserver au froid. Après quelques heures, cette liqueur est excellente à boire.

Les p'tits trucs de Louise

Conservez les fonds de pots de confiture et de gelée. Mélangées au jus de cuisson du poulet, du canard, de l'agneau, elles se transformeront en une sauce d'accompagnement fruitée.

À l'automne, préparez de grandes quantités de compote de pommes que vous remiserez en petites portions dans le congélateur. Utilisez cette compote économique en remplacement de l'huile ou du beurre requis dans une recette de gâteau ou de muffins.

Dans la préparation d'une sauce, vous pouvez substituer 250 ml (1 tasse) de crème par 220 ml de lait et 45 ml (3 c. à soupe) de beurre.

À défaut de sucre en poudre, versez 125 ml (½ tasse) de sucre granulé dans le mélangeur. Vous obtiendrez 250 ml (1 tasse) de sucre glace.

On peut congeler les restants de vin dans un contenant à glace. Les cubes serviront à déglacer les poêlons après la cuisson des viandes.

LE DÉMÉNAGEMENT

Ma grand-mère disait

Ma grand-mère, qui n'a pas eu à vivre de grands déménagements dans sa vie, se trouvait bien chanceuse d'avoir pu habiter toujours la même maison. Par contre, en juin, un branle-bas s'organisait pour un déménagement temporaire à la maison d'été. La semaine précédant le déménagement de toute la famille, elle se déplaçait à la campagne (qu'on appellerait aujourd'hui... banlieue) pour aérer la maison d'été, enlever les housses sur les meubles, balayer la maison, nettoyer la cuisine et enlever tous les petits bouquets de menthe séchée qu'elle avait déposés dans chacune des pièces avant de fermer la maison à l'automne précédent.

Croyance populaire

Lors d'un déménagement, suspendre une petite sorcière en tissu dans la cuisine est reconnu comme un porte-bonheur. Si on suspend la sorcière dans le hall d'entrée, elle devient un symbole de bienvenue, de renouveau et de prospérité.

Avant d'habiter une maison qui a du vécu, il serait peut-être bon de brûler de la sauge dans toutes les pièces ou d'asperger les murs intérieurs et extérieurs d'eau salée. Ces deux trucs sont encore employés pour purifier l'énergie d'une nouvelle maison et créer une atmosphère paisible et détendue.

Des problèmes... des solutions

Il faut savoir faire place à une nouvelle vie dans un nouvel intérieur !

Faire un grand tri avant le déménagement s'avère le meilleur truc pour vous débarrasser des objets qui vous encombrent.

Faites le tour des armoires et donnez tous les objets que vous gardiez « au cas où ». Les vêtements que vous n'avez pas portés depuis deux ans ne redeviendront pas « des coups de cœur ». Trop petits... démodés... tissu fatigué... chaussures inconfortables... bijoux ternis et démodés... Vite, ça presse !

Lirez-vous vraiment tous les livres que vous gardez ? Si vous avez un doute... un don aux bibliothèques ou à vos amis libérera votre espace tout en faisant des heureux.

Pour éviter les dégâts, procurez-vous du papier bulle pour enve- lopper les objets plus fragiles. Le papier journal tache la vaisselle et les bibelots. Utilisez plutôt des draps, des linges de vaisselle, des serviettes éponges pour caler et envelopper ces objets. Tapissez bien le fond des boîtes avec une bonne épaisseur de papier journal ou de papier bulle.

Travaillez avec méthode et emballez les objets un par un. Inutile de laver toute la vaisselle avant le déménagement. Pour éviter les bris, il est plus prudent de placer les assiettes et les verres à la verticale et non à l'horizontale. Placez les articles les plus lourds au fond des boîtes et les plus légers sur le dessus.

La journée du déménagement • Préparez pour les déménageurs un itinéraire indiquant le plus court chemin vers la nouvelle rési- dence. N'oubliez pas de leur donner un numéro de téléphone cellu- laire afin qu'ils puissent vous joindre facilement.

Supervisez le déchargement des car- tons et des meubles en indiquant la pièce où ils doivent être déposés.

Vos amis arrivent pour donner un coup de main... N'oubliez pas le menu traditionnel pour cette journée : bière et pizza !

Départ en vacances • Pour que votre retour de vacances ne tourne pas à la catastrophe, il serait bon de prendre quelques précautions et de mettre à l'abri des regards vos biens précieux.

Informez un voisin ou un ami de votre départ et demandez-lui de ramasser votre courrier et vos journaux, dont l'accumulation pourrait faire remarquer votre absence. Demandez-lui aussi de déposer quelques sacs-poubelle devant votre maison durant vos vacances. Ces détails sont souvent observés par les voleurs qui parcourent les rues en automobile à la recherche d'indices.

Vérifiez si toutes les fenêtres et les portes de votre maison, en particulier celles du sous-sol, sont bien dégagées et exposées aux regards. Fermez aussi le cabanon à clef. Des malfaiteurs pourraient non seulement voler le matériel qu'il contient, mais aussi s'en servir pour pénétrer dans la maison. Rangez l'échelle et l'escabeau.

Ne laissez pas les stores baissés. Installez des minuteries pour l'éclairage dans quelques pièces et laissez une radio fonctionner, en ayant pris soin au préalable de régler le volume de façon qu'on puisse l'entendre de l'extérieur.

Rangez les bijoux et autres objets précieux dans un endroit sûr. Si vous pensez que le congélateur, la lingerie ou les coussins du divan sont de bonnes cachettes, détrompez-vous. Les voleurs connaissent bien ces trucs ! Il n'est pas recommandé non plus de les cacher dans le tiroir du haut d'une commode ou sous une pile de sous-vêtements. Les voleurs les découvriront rapidement. D'ailleurs, c'est dans la chambre à coucher qu'ils se dirigent généralement en premier.

Les p'tits trucs de Louise

Faites un bon choix de boîtes cartonnées : petites, solides, à renforcer au besoin avec du papier adhésif. Vérifiez avec la SAQ quand les boîtes vides sont disponibles. Dans ma région, par exemple, on peut se procurer les boîtes le mercredi après-midi.

Identifiez vos boîtes avec des crayons de couleur ou des rondelles autocollantes de différentes teintes. Chaque couleur correspond à une pièce ou à un membre de la famille. Ainsi, après le déménagement, les bonnes boîtes se retrouveront au bon endroit.

N'oubliez pas que le réfrigérateur et le congélateur doivent être débranchés 24 heures avant le déménagement. Vous pourrez les rebrancher trois heures après l'arrivée dans votre nouvelle résidence. Conservez les aliments périssables dans une glacière durant le transport.

Glissez à l'intérieur de la sécheuse la literie et les oreillers nécessaires pour la première nuit dans votre nouvel environnement. Fermez bien la porte avec un ruban adhésif. Sans ajouter de poids supplémentaire, vous aurez sous la main tout le matériel nécessaire pour habiller rapidement les lits.

Les fleurs coupées

Ma grand-mère disait

Lorsque ma grand-mère voulait composer un bouquet de fleurs, elle se levait à la même heure que le soleil et allait cueillir les fleurs de son jardin et les fleurs sauvages des champs. Elle les déposait immédiatement dans un bac rempli d'eau tiède. Dès son retour à la maison, grand-maman coupait les feuilles, les tiges en biseau, plaçait les fleurs dans un grand vase rempli d'eau de pluie.

Croyance populaire

Avant d'offrir un bouquet de fleurs, certaines personnes ont à cœur de bien connaître la signification des couleurs et des fleurs.

Par exemple, offrir une rose rouge est synonyme d'amour et de passion.

Par contre, un bouquet de roses jaunes est le symbole d'un amour finissant, de jalousie ou annonce une infidélité.

Une rose blanche signifie la pureté, l'innocence et peut-être la promesse d'un amour naissant.

La rose rosée souligne une relation plus amicale qu'amoureuse.

On n'offre jamais d'œillet à une actrice ou à une comédienne lors d'une première. Véritable signe de malchance, l'œillet est plutôt considéré comme la fleur des morts.

Le lys blanc est associé à la pureté.

La tulipe est un symbole d'amour, sauf la tulipe jaune qui signifie un amour sans espoir.

Des problèmes... des solutions

Conservation • Pour garder les fleurs le plus longtemps possible, de nombreux trucs ont démontré une certaine efficacité.

Ajouter 1 carré de sucre dans l'eau du vase.

Ajouter une gomme à mâcher à la menthe dans l'eau du vase.

Dissoudre un cachet d'aspirine dans l'eau de trempage des fleurs. Par contre, l'aspirine peut faire brunir les tiges.

Verser du cola clair (comme du 7UP) ou une boisson sucrée dans l'eau du vase.

Saler légèrement l'eau du vase.

Se procurer des sachets conservateurs pour fleurs coupées en vente chez les fleuristes.

Utiliser de l'eau tiède car, pauvre en oxygène, elle réduit la formation de bulles d'air dans les tiges et favorise l'éclosion des fleurs.

Tailler les tiges sous l'eau courante afin d'empêcher les bulles d'air de pénétrer dans la tige.

Pour conserver plus longtemps un bouquet de lilas, écraser la tige avec un marteau.

Moisissure • Pour éviter l'apparition de moisissures, ajouter deux à trois gouttes de javellisant ou un morceau de charbon de bois à l'eau de trempage des fleurs. Afin de ne pas corrompre l'eau, enlever toutes les feuilles qui pourraient y tremper et ne pas oublier de la changer régulièrement, généralement tous les deux jours.

Un bouquet de roses • Il n'est pas recommandé d'enlever les épines des tiges.

Les roses doivent être cueillies lorsqu'elles sont ouvertes. Un bouton de rose s'ouvre difficilement une fois cueilli.

Ne pas placer une gerbe de roses près d'une corbeille de fruits. L'éthylène dégagé par les fruits accélère le vieillissement des fleurs.

Lorsqu'un bouquet de roses commence à flétrir, faire tremper le bout des tiges dans de l'eau bouillante. Après quelques minutes, couper une partie des tiges en biseau et replacer les fleurs dans un vase d'eau froide.

Un bouquet de tulipes • Il est bon de savoir que les tiges des tulipes continuent à s'allonger de quelques centimètres lorsqu'elles sont coupées.

Pour mieux les conserver, verser de l'eau très froide dans le vase.

Un vieux truc recommande de déposer une vingtaine de sous noirs dans le fond du vase. La combinaison du métal et de l'eau permet aux tulipes de rester plus droites.

À l'aide d'une aiguille, transpercer la tige creuse de la tulipe, précisément sous la fleur, pour en réduire la courbure. Ou insérer un fil de fer dans la tige.

Si vous aimez les tulipes courbées, choisissez un petit vase qui donnera un bouquet arrondi et sera d'un bel effet.

Les jonquilles isolées • Pour ne pas voir une gerbe de fleurs flétrir rapidement, il est préférable de ne pas ajouter de jonquilles au bouquet. Comme la substance néfaste de leur tige est sécrétée seulement la première journée, vous pouvez conserver les jonquilles dans un vase à l'écart des autres fleurs. Après 24 heures, vous pourrez les joindre à votre composition florale.

Les p'tits trucs de Louise

Utilisez un couteau ou une lame de canif bien aiguisé pour tailler en biseau les tiges des fleurs. N'employez ni un couteau de cuisine ni un sécateur. Il est primordial d'effectuer une taille en biais, puisqu'une coupe droite met les tiges en contact avec le fond du vase et réduit l'absorption d'eau.

Chaque fois que vous changez l'eau, coupez à nouveau les tiges de quelques centimètres. Évitez de déposer le vase près d'une fenêtre, en plein soleil, près d'une source de chaleur ou dans un courant d'air. Ces trois éléments sont très néfastes à la longévité des fleurs.

Il est important de nettoyer les récipients à fleurs entre chaque usage. Une eau chaude savonneuse additionnée de quelques gouttes d'eau de Javel désinfecte le vase qui sera alors prêt à recevoir un autre bouquet.

Pour faire tenir bien droites les fleurs dans un vase, froissez un papier cellophane que vous utilisez habituellement pour les emballages-cadeaux et placez-le dans le vase. Invisible, il maintiendra en place les fleurs dont la tige est trop flexible. Remplissez ensuite le vase d'eau.

Les taches de pollen • Si vous avez taché une nappe ou un vêtement avec la poudre jaune des anthères, ne frottez surtout pas les taches avec votre main. Vous les fixeriez. Laissez sécher puis utilisez une brosse pour les déloger. Si une couleur jaunâtre persiste, placez le tissu sali au soleil. L'effet sera magique, tout disparaîtra en quelques heures !

LE JARDINAGE
ET LE POTAGER

Ma grand-mère disait

Les plus beaux souvenirs du jardin de ma grand-mère se parent des couleurs du lilas, des pivoines et des roses trémières appuyées sur la vieille clôture. Ces petits coins fleuris reflétaient sa personnalité et sa joie de vivre. À l'arrière de la maison, on découvrait un immense potager entretenu fidèlement par mon grand-père. Chaque printemps, grand-papa dessinait un plan sommaire de son jardin en prenant soin d'effectuer une rotation des plants de légumes pour une meilleure récolte. Il conservait ce plan, y notait l'année et savait qu'il pourrait le réutiliser quatre ans plus tard.

Pour éloigner les pucerons du potager, mon grand-père dérobait à ma grand-mère quelques plants de capucines et d'œillets d'Inde qu'il plantait en une bordure bien droite tout autour de la terre pleine de promesses.

Le truc de mon grand-père • Grand-papa ne semblait pas fonctionner sans son « almanach du peuple ». À tout moment il faisait référence à ce livre où les prévisions météorologiques lui permettaient une meilleure organisation des cultures.

Croyance populaire

La culture et les récoltes de la terre ont inspiré de nombreuses croyances auxquelles les Anciens adhéraient religieusement.

Les automnes froids et sans neige présagent de mauvaises récoltes pour l'été suivant.

Se rappeler que tout ce qui fructifie en terre, comme les carottes et les pommes de terre, doit être planté au déclin de la lune. Les légumes qui poussent à l'extérieur de la terre, par exemple les haricots et les poivrons, doivent être semés à la pleine lune.

Selon une ancienne croyance, une personne qui plante trois graines de semence dans trois pots différents peut exprimer un souhait par pot. Il faut toutefois surveiller la germination, car les vœux seront accordés dans l'ordre de germination des plants.

Des problèmes... des solutions

Pour éviter les mauvaises herbes et humidifier la terre • Couvrir les allées de papier journal qui sera rapidement détrempé et collera au sol.

Entre les plants, déposer des morceaux de boîtes cartonnées. Les couvrir avec des rognures de gazon.

Étaler entre les rangs de grandes feuilles de plastique maintenues avec quelques pierres.

Autour des plants vivaces, comme les fraisiers, étaler du paillis ou des copeaux de bois.

Mauvais compagnons • Certaines plantes peuvent nuire à la croissance des autres lorsqu'elles se voisinent dans un jardin, par exemple :

ail et oignon	haricot et pois
betterave	haricot
brocoli	fraise
carotte	aneth
laitue	épinard
navet	ail
sauge	concombre
tomate	fenouil, chou-rave, haricot et concombre

Bons compagnons •

aneth	chou
basilic	tomate
bourrache	tomate, courge et fraise
camomille	chou, oignon
cerfeuil	radis
romarin	chou, haricot, carotte
sarriette	haricot, oignon
souci	tomate, asperge
thym	chou

Pour éloigner les pucerons des rosiers • Planter quelques gousses d'ail à proximité.

Faire macérer dans une bouteille d'eau une trentaine de mégots de cigarette avec ou sans filtre pendant deux à trois semaines. Vaporiser cette solution filtrée sur les rosiers envahis de pucerons.

Laisser tremper pendant quelques jours des feuilles de plants de tomates dans une bouteille d'eau. Filtrer et pulvériser les rosiers. Excellent pour éloigner les petites araignées.

Pour nourrir les rosiers • Déposer de vieilles bananes ou la peau de bananes dans la terre au pied des rosiers.

Mélanger 5 ml (1 c. à thé) de lait, 5 ml (1 c. à thé) d'alcool (gin ou vodka) dans un litre (4 tasses) d'eau. Vaporiser les rosiers tôt le matin ou en soirée avec ce mélange.

Le mildiou dans le jardin • Des petits tuyaux de cuivre pour tuteurer les plants de tomates et autres éliminent le mildiou et éloignent les limaces.

Vaporiser les plants avec la solution suivante : 1 part de lait entier diluée dans 9 parts d'eau.

Il semblerait que l'urine humaine masculine du matin aurait des pouvoirs magiques sur les plants atteints de mildiou. Un petit pipi dans le jardin tôt dès le lever... ni vu... ni connu !

⤜•⋙ POUR CHASSER LES PETITS INTRUS DU JARDIN ⋘•⤛

Répandre des cheveux humains (en faire la demande à votre coiffeur) dans les allées du potager.

Préparer la recette suivante : déposer dans 1 litre (4 tasses) d'eau 1 oignon émincé, 1 gousse d'ail et 15 ml (1 c. à soupe) de piment de Cayenne. Laisser macérer cette potion pendant une semaine dans un contenant fermé. Vaporiser la terre du potager en traçant une ligne bien droite tout autour du jardin que les ratons laveurs, mouffettes, écureuils et autres ne traverseront pas.

On peut éloigner les perce-oreilles en leur tendant un piège : une petite assiette remplie d'eau savonneuse ou de bière ou une vieille boîte à sardines contenant encore un peu d'huile de poisson.

Remplacer les contenants régulièrement.

Pour empêcher les vers et les limaces d'infester les choux, les oignons et les haricots, répandre sur la terre des coquilles d'œuf brisées grossièrement. Elles nuiront aux indésirables qui voudraient ramper jusqu'à la tige des plants.

Prendre environ 8 grandes feuilles de rhubarbe que vous couvrez d'eau. Faire mijoter environ 30 minutes. Laisser refroidir puis ajouter 3 à 4 gouttes de savon liquide à vaisselle et une pincée de poivre de Cayenne. Conserver cette mixture dans une bouteille avec vaporisateur et utiliser pour éliminer les pucerons et les chenilles.

Les p'tits trucs de Louise

Pour marquer le rang de semences, notez la date des semailles sur chaque paquet de graines, puis recouvrez-le d'un petit sac de plastique et mettez-y une attache. Tout sera bien noté pour vous y retrouver dans votre potager.

Rappelez-vous que les bons insectes protègent votre jardin. La coccinelle dévore les pucerons, les guêpes détruisent les larves de mouche. Si vous attirez les hirondelles près de votre terrain, elles goberont des milliers d'insectes nuisibles.

Quelques morceaux de pomme de terre crue placés aux coins du potager attireront les vers et les empêcheront de s'attaquer à vos légumes. Remplacez-les toutes les semaines.

Pour une belle floraison, prenez le temps de retirer les fleurs fanées ou d'en couper les tiges. Beaucoup de plantes vivaces, dont les pivoines, peuvent être séparées au mois d'août. Vous ferez des heureux autour de vous !

Dans le jardin, il est toujours plus facile d'enlever les mauvaises herbes après la pluie.

LE RANGEMENT

Ma grand-mère disait

Aux changements de saison, ma grand-mère faisait preuve d'ingéniosité. Elle avait recyclé une vieille commode en conservant seulement les tiroirs. Mon grand-père avait posé des roulettes sous ces tiroirs. On retirait alors les vêtements hors saison de nos armoires et on les déposait dans un de ces tiroirs qui se glissaient rapidement sous le lit.

Croyance populaire

Selon plusieurs philosophies, dont le feng shui, le rangement est le premier art de l'harmonie. Ranger permet de voir clair, au propre comme au figuré. Le calme peut-il régner dans une maison en désordre, où s'empilent les caisses de toute espèce, les vêtements, les vieux objets désuets ou brisés, les traîneries de toutes sortes ? À vous de décider comment vous ordonnerez votre intérieur.

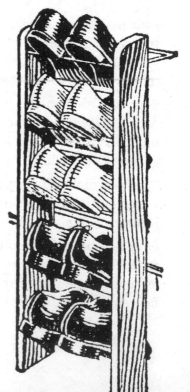

Des problèmes... des solutions

Dans la cuisine • Organisez le garde-manger avec des petits paniers plastifiés. Vous y conserverez les épices, les huiles, les vinaigrettes, les essences parfumées. Rassemblez dans un panier tous les ingrédients qui caractérisent un type de cuisine : pâtisserie, sauces en sachet, cuisine chinoise.

Dans l'atelier • Les bocaux de verre permettent un rangement rapide. Fixez les couvercles sous une tablette ou au plafond. N'utilisez pas les petits pots de nourriture pour bébés. Leurs couvercles trop fragiles se tordraient après quelques manipulations. Remplissez les contenants de vis, de petits clous et autres éléments. Vous n'aurez qu'à visser les pots pour les mettre en place, puis à les dévisser pour vous servir.

Dans la lingerie • Vous ouvrez la porte de la lingerie, vous voyez de belles piles bien droites de draps et de serviettes, pliées de la même manière en laissant le pli vers l'extérieur. Le coup d'œil en vaut la peine !

Généralement, on plie le drap-housse, les taies d'oreiller et on les glisse dans le drap plat bien plié. Si vous éprouvez des difficultés à plier vos draps, faites de votre mieux et insérez-les dans une taie d'oreiller que vous repliez. L'ensemble complet s'y retrouve et il sera plus facile de ranger le tout avec ordre dans votre armoire.

Déposez quelques feuilles d'assouplissant textile ou des sachets parfumés à la lavande dans la lingerie.

Les p'tits trucs de Louise

Vous manquez d'espace... Faites le tri dans les armoires, les placards, la bibliothèque. N'hésitez pas à donner les vêtements et les objets que vous n'avez pas utilisés au cours des deux dernières années. Il est fort probable qu'ils ne servent qu'à embarrasser votre maison.

Glissez quelques crochets de rideau de douche sur la barre de votre garde-robe. Vous pourrez y suspendre ceintures, sacs à main, cravates, foulards...

Les boîtes de couches grand format sont idéales pour ranger et conserver les vêtements d'un enfant. Ces boîtes, en carton rigide, sont souvent munies de poignées plastifiées. Elles se placent bien sous le lit.

LE RECYCLAGE

Ma grand-mère disait

Grand-maman ne jetait jamais ce qu'elle pensait pouvoir utiliser à nouveau. Du bout de ficelle au sac en papier, les tablettes inférieures de ses armoires recelaient des objets qui pourraient, un jour, nous dépanner. Elle m'expliquait comment sa mère blanchissait l'imprimé sur les sacs de farine pour en fabriquer ensuite des linges à vaisselle. Les sacs de « fleur », comme elle disait, étaient lavés et bien rincés. On les laissait tremper une nuit entière dans de l'huile de charbon (kérosène). Au petit matin, on retrouvait un coton blanchi de bonne qualité, qu'on lavait à nouveau avant d'y tailler et de coudre les pièces qui se révélaient très résistantes pour un deuxième usage.

Croyance populaire

Il fut un temps où tout était recyclé, même l'eau du bain. Qui n'a pas entendu l'expression « Il ne faut pas jeter le bébé avec l'eau du bain » ? Selon certaines interprétations, il semblerait alors que le bain hebdomadaire était préparé pour toute la famille. S'y baignaient, par ordre d'importance, le père, les fils, la mère, les filles, les enfants et finalement les bébés. On peut imaginer la couleur de l'eau à la fin des bains, et cette expression était le cri d'alarme pour retirer le bébé de l'eau avant de la vidanger.

Des problèmes... des solutions

Bas de laine • Parfait pour y glisser la main et effectuer un nettoyage rapide des lattes de stores horizontaux. Ce chiffon fait aussi briller les chaussures fraîchement cirées.

Bas de nylon • Très bon linge improvisé pour l'époussetage. Enfilé sur un balai-brosse, il attire les cheveux, la poussière et s'avère aussi efficace qu'un tissu antistatique.

Un morceau de bas de nylon trempé dans le dissolvant enlève rapidement et efficacement le vernis à ongles.

Les soldats lors de la Seconde Guerre mondiale (1939-1945) appréciaient particulièrement les découpes de vieux bas de nylon pour polir leurs chaussures.

Boîtes d'œufs cartonnées • Excellent contenant pour amorcer les semis au printemps. Il suffit de remplir chaque compartiment de terre en prenant soin d'en perforer légèrement le fond pour que l'eau s'écoule facilement.

Bouchon de liège • Émietté, on l'ajoute au terreau pour l'alléger sans alourdir la jardinière. Taillé en biseau, mouillé et enrobé de cendres de cigarette, il devient un bon outil pour nettoyer l'argenterie et atteindre les moindres recoins.

Bouteille de ketchup • À recycler en arrosoir pour les plantes suspendues souvent difficiles d'accès. Excellent contenant à remplir d'eau savonneuse et à conserver dans la voiture pour vous dépanner pour le lavage des vitres.

Cintre en métal • Déplié et coupé à la dimension désirée, il devient un solide tuteur pour une plante. On peut même former un arceau pour y faire grimper du lierre.

DVD ou CD • Accrochés dans les branches des arbres fruitiers ou dans les framboisiers, ces épouvantails improvisés chasseront les oiseaux gourmands tout en étant plus esthétiques que les assiettes d'aluminium.

Gants de caoutchouc • Ils sont percés et vous les croyez bons pour la poubelle ? Coupez quelques bandes dans les manchettes. Elles vous serviront d'élastiques pour ouvrir facilement les pots fermés hermétiquement et que vous avez de la difficulté à ouvrir.

Marc de café · Jeter le marc de café dans l'évier et faire couler l'eau. Il désodorisera et dégraissera les tuyaux. Excellent aussi pour désodoriser le réfrigérateur. Il suffit d'y placer un petit bol sur une des étagères pendant quelques jours.

Papier journal · Les feuilles de papier journal datant de quelques jours, dont l'encre est complètement séchée, sont un très bon choix pour nettoyer les vitres. On peut aussi faire disparaître une odeur désagréable dans le réfrigérateur en plaçant une bonne épaisseur de papier journal sur les tablettes. Laissez environ 48 heures dans l'électroménager.

Papier peint · Utiliser les restants pour tapisser l'intérieur des tiroirs, les tablettes d'une armoire ou recouvrir les boîtes de rangement que vous déposez dans votre penderie.

Rideau de douche usagé · Pratique pour protéger de la pluie un vélo, les chaises d'extérieur ou couvrir le carré de sable.

Sacs à lait · En coupant un coin en biseau, il est possible d'utiliser ce sac comme douille à pâtisserie.

Taie d'oreiller · On protège bas, collants et sous-vêtements délicats en les glissant dans une taie d'oreiller avant de les déposer dans la machine à laver.

LITIÈRES POUR PETITS ANIMAUX

À l'aide d'une déchiqueteuse, faites provision de lamelles de papier journal (sauf le papier glacé) et utilisez-les pour couvrir la cage de vos petits animaux. Un lit économique qu'ils apprécieront.

UNE NAPPE RÉCUPÉRÉE

Si vous possédez une nappe ancienne brodée ou festonnée irrémédiablement tachée, convertissez-la en taies d'oreillers, napperons ou serviettes de table. Il suffit de tailler le tissu selon la grandeur désirée en éliminant les parties endommagées.

Les p'tits trucs de Louise

Réutilisez les feuilles d'assouplissant textile • Pratiques et efficaces pour retirer le vernis à ongles et faire reluire les chaussures de cuir.

Elles font briller les robinets, les accessoires de chrome, enlèvent les taches de savon sur les portes de douche.

Les aliments collés dans une casserole disparaîtront si vous couvrez les taches d'eau. Ajoutez une feuille d'assouplissant usagée et laissez reposer le tout pendant une vingtaine de minutes, selon le dégât. Récurez ensuite le chaudron avec la feuille d'assouplissant. Au besoin, répétez le nettoyage avec une deuxième feuille.

Dans la voiture, conservez-en quelques-unes dans la boîte à gants pour faire briller rapidement le tableau de bord ou le rétroviseur.

Une deuxième vie pour votre brosse à dents • Mon outil de nettoyage préféré pour enlever les taches sur les vêtements. Très pratique pour atteindre les endroits difficiles à récurer de la machine à laver, les contours de robinets, la pomme de douche et le pourtour d'un comptoir. Elle peut aussi nettoyer les peignes, les brosses à cheveux et tout autre objet où la saleté s'accumule et est ardue à déloger.

LE SOIN DES PLANTES DE MAISON

Ma grand-mère disait

Lorsque grand-maman faisait cuire des œufs durs, elle conservait toujours l'eau de cuisson qu'elle laissait refroidir pour arroser ses plantes dans la maison. Elle prétendait que cette eau était un véritable tonique. Mon grand-père, de son côté, gâtait les plantes du jardin avec les cendres du foyer qu'il conservait dans une grosse boîte métallique durant la saison froide.

Croyance populaire

Pendant le temps des Fêtes, il était de coutume de décorer la maison avec des feuilles de gui. La tradition veut que deux personnes qui se rencontrent sous les feuilles de gui, suspendues souvent au-dessus de la porte d'entrée, s'embrassent. Cette plante est symbole de prospérité et de longue vie. Il faut faire preuve de vigilance et ne pas manger ces petites baies qui sont toxiques. Il ne faudrait pas suspendre le gui dans la chambre à coucher... la nuit pourrait être longue !

Des problèmes... des solutions

Pour nettoyer le feuillage des plantes de maison • Utiliser un chiffon imbibé d'un mélange composé d'une part d'eau et d'une part de bière, ou d'un mélange à parts égales de lait et d'eau.

Ajouter 15 ml (1 c. à soupe) de glycérine à l'eau d'arrosage pour un feuillage bien brillant.

Pour nettoyer les plantes grasses, utiliser un tampon démaquillant imbibé d'huile d'olive.

Vaporiser de l'eau sur les plantes leur procure un bien-être en plus de les nettoyer.

La chasse aux insectes • Poser une rondelle de pomme de terre crue sur la terre des plantes attirera les vers. Changer la pomme de terre quotidiennement.

Verser 2 à 3 gouttes de savon à vaisselle liquide sur la surface de la terre. Arroser la plante et la formation de bulles de savon éliminera les petits insectes nuisibles.

Piquer quelques allumettes la tête en bas dans le terreau. Le soufre qu'elles contiennent éliminera les vers.

Imbiber un tampon d'ouate avec de l'alcool à friction et de l'eau pour éponger les feuilles et tuer les pucerons.

Diluer 15 ml (1 c. à soupe) de vinaigre dans 1 litre (4 tasses) d'eau à la température de la pièce. Vaporiser la terre avec ce mélange pour éloigner les petites araignées de vos plantes.

Chaton friand des plantes • Pour l'éloigner de vos plantes, voici quelques trucs.

Planter des bâtons de cannelle dans la terre.

Arroser le feuillage avec une eau citronnée.

Saupoudrer du poivre noir ou du poivre de Cayenne sur le contour du pot.

Former une collerette avec du papier d'aluminium pour couvrir le terreau de la plante. Les chats détestent le froissement de ce papier et n'oseront pas le déplacer.

Fertilisants • Plutôt que de jeter le thé qui n'a pas été consommé, versez-le dans la terre des plantes ; il leur servira de tonique. Vous pouvez aussi mélanger les feuilles de thé au terreau.

Les coquilles d'œuf broyées sont aussi un bon fertilisant.

Arrosez occasionnellement la terre des plantes de maison avec un restant de vin rouge.

L'eau refroidie, non salée, de cuisson des légumes est gorgée de minéraux. À utiliser pour arroser.

Déposez du marc de café sur la surface du terreau pour alléger et enrichir la terre.

Les résidus de café bouilli peuvent être ajoutés à la terre des plantes.

Quelques clous plantés dans le terreau des violettes les verront fleurir abondamment.

Soins durant l'hiver • Les plantes d'intérieur n'ont pas à souffrir du changement de saison. On les arrose régulièrement avec de l'eau à la température de la pièce, car l'eau du robinet est trop froide pour elles en hiver. Entre les arrosages, laisser le sol s'assécher. Il faut éviter de placer les plantes près des radiateurs et cesser la fertilisation qui sera reprise au printemps lors du rempotage des plantes.

Rempotage des plantes • Avant de rempoter une plante dans un pot ayant déjà contenu une autre plante, assurez-vous de bien laver le pot avec un détergent à vaisselle et de le nettoyer avec 60 ml (¼ tasse) d'eau de Javel diluée dans 500 ml (2 tasses) d'eau chaude. Rincez et séchez.

Les p'tits trucs de Louise

Il y a quelques mois, j'ai reçu une belle orchidée. Après la floraison, je me suis questionnée sur les meilleurs trucs pour la conserver et la voir refleurir. J'ai laissé le plant dans le pot original et j'ai coupé la tige qui avait fleuri sous le deuxième œil (petit bourgeon sur la tige). Je profite maintenant d'une nouvelle floraison sur la tige initiale et c'est avec surprise que j'ai assisté à l'apparition d'une nouvelle tige, à laquelle j'ai mis un tuteur. Une troisième floraison est donc prévue.

Il est plus prudent de porter une paire de gants, des mitaines pour le four par exemple, pour manipuler les cactus et toute plante portant des épines. Placez ces plantes hors de portée des enfants et des animaux. Avant de rempoter les cactus, cessez l'arrosage et faites-leur suivre un régime sec pendant trois semaines. Pour déloger la poussière des cactus, utilisez un sèche-cheveux à air froid.

Doucher régulièrement les plantes est un excellent moyen pour les débarrasser de la poussière et favoriser leur croissance. Le hic : vous ne voulez quand même pas obstruer le drain de la baignoire ni boucher les tuyaux avec la terre qui débordera infailliblement du pot. Couvrez le pot avec une vieille taie d'oreiller. Maintenez le tout avec une ficelle. Douchez votre plante sous une eau légèrement tiède.

6

FESTOYER
AVEC LES SIENS

Mais ma mère avait appris de sa mère, qui l'avait appris de sa
mère, qu'il était plus économique de fabriquer à la maison toute
cette boustifaille des fêtes. Et elle s'acharnait à bourrer la dépense
froide – qui était l'armoire à cinq tablettes du balcon arrière – de
ses pâtisseries que nous adorions, ce qui l'encourageait sans doute
à poursuivre ce travail à la chaîne. C'était, dans le temps, la fierté
d'une femme que de pouvoir ainsi « faire » tous ses desserts.

Claude Jasmin, *La Petite Patrie*

La table était toujours mise. Pour chasser sa crainte
d'un malheur arrivé à Ovide, et pour se persuader que celui-ci
rentrerait à la maison sain et sauf, la mère Plouffe avait
sorti sa nappe aux dessins fleuris des jours de fête, installé les
couverts avec une ingéniosité inaccoutumée que seul peut justifier
le retour de l'enfant prodigue qu'on croyait perdu.

Roger Lemelin, *Les Plouffe*

CUISINER DE MÈRE EN FILLE

Ma grand-mère disait

Comme dans toutes les familles québécoises, c'est autour de la cuisinière ou de la table que se transmettait le savoir-faire de mère en fille. Dès l'âge de cinq ans, je couvrais ma robe d'un tablier de grand-maman, je l'aidais à éplucher les pommes de terre, j'apprenais à préparer une sauce avec le restant de thé pour servir avec le rôti et je faisais provision de souvenirs réconfortants.

Croyances populaires

Plusieurs vieilles croyances concernent la fabrication du beurre qui se faisait dans les familles au début du siècle dernier.

Si le beurre ne voulait pas prendre, on devait ajouter son jonc dans la baratte. C'était là un truc infaillible pour réussir le barattage. On disait aussi que, pendant la période de menstruation, le beurre ne prendrait pas, la mayonnaise ne monterait pas, les gâteaux et les mousses ne lèveraient pas.

Il ne fallait pas baratter non plus lors de la marée montante.

Le beurre qu'on baratte à la Saint-Barthélémy (le 24 août) aurait des propriétés d'onguent miraculeux. De plus, ce beurre ne deviendra jamais rance.

Des problèmes... des solutions

C'est à travers l'expérience de nombreuses femmes du Québec que les cuisinières ont acquis des trucs et pris plaisir à cuisiner les repas festifs, le dîner dominical, et à apprêter les restes au quotidien.

Le boudin se cuit sans gras ou avec une toute petite cuillerée de beurre. (Jehane Benoit)

Si votre sucre à la crème est trop dur, remettez-le à chauffer avec 30 ml (2 c. à soupe) de crème. Dès qu'il sera crémeux, versez-le dans un moule beurré. (Janette Bertrand)

Pour préparer rapidement une sauce Mornay, ajouter du gruyère râpé à une sauce béchamel. (Juliette Huot)

Pour défaire une laitue « iceberg » sans briser les feuilles, on frappe le cœur sur le comptoir et on fait couler l'eau dans le creux jusqu'à ce que les feuilles s'ouvrent. (Sœur Berthe)

Ne jetez jamais les fonds de sacs de croustilles cassées. Écrasez-les et servez-en sur les gratins. Cette chapelure a beaucoup de goût. (Suzanne Lapointe)

Pour obtenir un poisson très tendre, il faut éviter de le cuire trop longtemps. Le jus de citron rehausse la saveur du poisson et fait coaguler la chair qui reste plus ferme. (Sœur Angèle)

Pour obtenir des frites parfaites, après avoir épluché et coupé les pommes de terre, faites-les tremper une dizaine de minutes dans l'eau très froide. Elles rendront leur amidon. Avant de les plonger dans l'huile, séchez-les avec un chiffon propre. (Louise Robitaille)

Les p'tits trucs de Louise

Ainsi va la vie ! C'est maintenant à mon tour de transmettre à ma petite-fille Charlotte mes trucs et mes secrets de grand-mère. Quand je la vois grimper sur sa petite chaise de bois et me dire « J'veux t'aider », pas question d'ignorer ce moment extraordinaire.

Charlotte, à 5 ans, cuisine avec l'aide de ses parents tous les gâteaux de fête ! Chez moi, on cuisine des muffins, des petits déjeuners, des croustades, et nous avons comme projet de fabriquer notre crème glacée.

Que de plaisirs pour la grand-maman ! Que de souvenirs pour mes petits-enfants !

FRIANDISES ET DÉLICES

Ma grand-mère disait

C'est en famille que nous cuisinions le sucre à la crème puisque tour à tour nous héritions de la tâche de brasser énergiquement la préparation. Un des premiers trucs que ma grand-mère m'a enseigné concernait la fabrication du sucre à la crème. Avec son rouleau à pâtisserie, elle écrasait en miettes 2 à 3 biscuits soda et ajoutait cette chapelure à la préparation sucrée qui durcissait beaucoup plus rapidement. Grand-maman me disait que l'ajout de ces biscuits salés équilibrait le sucré de la friandise.

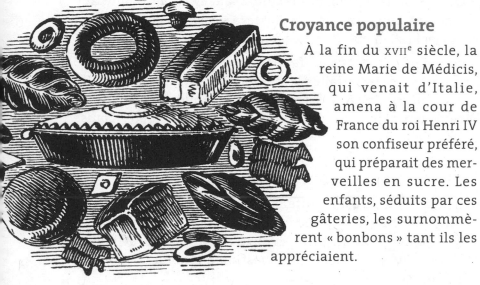

Croyance populaire

À la fin du XVIIe siècle, la reine Marie de Médicis, qui venait d'Italie, amena à la cour de France du roi Henri IV son confiseur préféré, qui préparait des merveilles en sucre. Les enfants, séduits par ces gâteries, les surnommèrent « bonbons » tant ils les appréciaient.

Des problèmes... des solutions

Les bonbons, au fil des ans, ont pris différentes formes et saveurs et ont fait partie de toutes les fêtes. Choisir ses bonbons dans les bocaux sur le comptoir du magasin général faisait la grande joie des enfants. Parmi les plus populaires, on trouvait : les lunes de miel, les bonbons à la réglisse, les sucettes, les boules noires, les caramels, les bonbons gélifiés aux fruits, les bâtons forts, les cigarettes sucrées, et les cornets Mello Roll, populaires dans les années cinquante, et dont on devait dérouler le papier pour savourer la crème glacée.

À la maison, on fabriquait des sucreries : la tire-éponge, la tire Sainte-Catherine, les bonbons aux patates, le fudge, le sucre à la crème, les boules chocolatées étaient parmi les favoris.

LES BONBONS AUX PATATES

Très simple, cette recette était populaire au temps des Fêtes. Pour vous rappeler ce souvenir d'enfance, vous n'avez qu'à faire cuire une petite pomme de terre dans l'eau, la peler et l'écraser à la fourchette.

Ajoutez ensuite du sucre à glacer jusqu'à ce que vous obteniez la texture d'une pâte à tarte. Étendez cette pâte sur une surface de travail saupoudrée de sucre à glacer ou recouverte d'une feuille de papier ciré.

Étalez sur le grand rectangle du beurre d'arachides, puis rouler la pâte afin de former un rouleau que vous envelopperez et déposerez au réfrigérateur une heure avant de le couper en rondelles.

Conservez les bonbons dans une boîte hermétique au réfrigérateur.

Les p'tits trucs de Louise

Si vous désirez fabriquer votre tire-éponge à la maison, prévoyez une grande casserole pour éviter les débordements car, à l'ajout du bicarbonate de soude, le volume de la préparation gonflera instantanément et pourra causer des dégâts collants !

Lors de la préparation de la tire Sainte-Catherine, beurrez bien vos mains avant de l'étirer. Lorsque la tire devient d'un beau jaune doré, on la roule en rondin ou on la tresse avant de la couper en petits morceaux qu'on devra envelopper individuellement et conserver au réfrigérateur.

LES FÊTES TRADITIONNELLES

Ma grand-mère disait

Il n'y avait pas de plus belle période dans l'année que le temps des Fêtes, alors que grand-maman recevait toute la parenté le premier janvier. Dans la famille, on rivalisait d'ingéniosité pour préparer des repas savoureux et plantureux. Chaque année, on se rappelait les mêmes anecdotes : l'année où ma grand-mère s'était fait voler ses tourtières entreposées dans l'armoire sur la galerie arrière ; l'année où mon grand-père avait piqué du nez dans le traditionnel gâteau Saint-Honoré servi au jour de l'An.

Toute la famille chantait autour du piano et ma grand-mère bien fière disait à ses petits-enfants : nous n'avons pas l'argent pour vous acheter des cadeaux très chers... mais grand-papa et moi souhaitons vous créer des souvenirs... Mission accomplie !

Croyances populaires

Connaissez-vous la croyance la plus populaire du temps des Fêtes ? Dans chaque pays, ce symbolique personnage porte un nom différent, mais partout où il passe... il comble les enfants sages.

Nos ancêtres très observateurs de la nature se basaient souvent sur les fêtes traditionnelles pour prédire la température.

À Noël, les jours ont rallongé d'un pas de coq ; aux Rois, d'un pas d'oie ; à la Chandeleur, de trois quarts d'heure.

Du 26 décembre aux Rois (le 6 janvier), la température de chaque jour prédit celle des douze mois de l'année. Si le 26 il fait beau, janvier s'annonce beau, et ainsi de suite.

À la Chandeleur, la hauteur maximale de neige est atteinte pour l'année en cours.

L'eau puisée à la source le matin de Pâques, avant le lever du soleil, possède des vertus miraculeuses.

S'il pleut à la Fête-Dieu, il pleuvra les quatre dimanches suivants.

La Sainte-Catherine apporte généralement la première tempête de neige.

C'est comme ça que ça se passait

Le jour de l'An • En plus de la bonne année et du paradis à la fin de nos jours, le jour de l'An apportait « les étrennes ». La dinde, les « atocas », une multitude de desserts et de sucreries étaient présents sur toutes les tables. L'aîné demandait au père de famille la « bénédiction paternelle » pour tous les enfants. Cette cérémonie émouvante mouillait aussi bien les yeux des enfants que ceux des parents.

La fête des Rois • Cette fête rappelle la visite des Rois mages à l'enfant Jésus dans la crèche. La tradition veut qu'on cuisine une galette où sera caché une fève ou un petit jouet. La personne trouvant le petit objet dans sa part de galette sera déclarée « Roi ou Reine du jour ».

La Chandeleur • Au quarantième jour après Noël, donc le 2 février, on cuisinait des crêpes bien rondes évoquant le soleil et le retour du printemps pour très bientôt. La première crêpe confectionnée était conservée dans une armoire pour s'assurer d' abondantes récoltes.

Aujourd'hui, le 2 février est devenu « le jour de la marmotte ».

Pâques • Après le carême, où la privation de desserts et de friandises était courante, pendant la Semaine sainte on achetait les brioches *hot cross buns* du Vendredi saint. La fête de Pâques apportait sur la table le traditionnel jambon et le chocolat tant apprécié par les petits et les plus grands.

La tradition voulait que les cloches des églises silencieuses depuis le Jeudi saint, parties pour Rome, revinssent le jour de Pâques en semant des œufs au chocolat sur leur passage.

L'épluchette de blé d'Inde • Partout au Québec, une épluchette était organisée au mois d'août pour souligner les bonnes récoltes. Les épis étaient séparés en deux monceaux, un pour les garçons, un pour les filles.

Les personnes qui trouvaient un épi rouge (marqué au préalable avec une petite quantité de peinture) étaient déclarées « roi et reine de la soirée ».

La Sainte-Catherine • Le 25 novembre, les jeunes filles de 25 ans non mariées coiffaient le bonnet de Sainte-Catherine. On les appelait les « catherinettes » ou les « vieilles filles ».

Cette fête était soulignée dans les écoles et les couvents, et l'on profitait de l'occasion pour organiser de grandes festivités, un bazar, et on confectionnait de la tire à la mélasse qu'on appelle encore « la tire Sainte-Catherine ».

Noël • Au début du siècle dernier, aucun présent n'était offert à Noël. Cette fête religieuse était suivie d'un réveillon où étaient servis les tourtières, le ragoût de pattes de cochon, les tartes et les gâteaux. Dans la plupart des familles, on suspendait le bas de Noël au pied du lit ou sous la cheminée. Au lever du jour, les enfants y trouvaient de petites friandises et la traditionnelle orange.

Dans ma famille, on perpétue la tradition du bas de Noël. Je me souviens que toute petite, dans mon bas, mes parents cachaient des surprises, des friandises, une orange et un morceau de charbon symbolisant le confort et la chaleur qui me seraient apportés au cours de la prochaine année.

Les p'tits trucs de Louise

Votre réception sera beaucoup plus facile à organiser si vous déterminez un thème. Il y a quelques années, j'avais demandé à mes invités de me faire parvenir, quelques jours avant notre soirée, des photos d'eux et de leur famille prises au cours de différents Noëls. C'est avec plaisir que les invités se sont amusés à regarder ces photos que j'avais installées sur le mur des escaliers menant « au petit coin ». Le repas était composé d'un menu traditionnel, et la musique et l'ambiance reflétaient les Noëls d'antan.

Une autre année, j'ai organisé un Noël international. Chacun a apporté un plat du pays de son choix. J'avais confectionné de petits drapeaux qui indiquaient l'origine des plats. Les petits cadeaux échangés entre convives portaient aussi le nom du pays de leur provenance.

Pour que les Fêtes ne tournent pas au cauchemar, apprenez à déléguer. Vous n'êtes pas obligé de tout faire ! Demandez de l'aide pour le vestiaire, la préparation du repas, pour servir ou desservir. Chacun assumera sa tâche et vous pourrez vous amuser avec vos invités.

LES NOCES ET LES NOUVEAUX MARIÉS

Ma grand-mère disait

Pas question pour ma grand-mère d'enlever son anneau de mariage même lors des gros travaux de nettoyage de la maison, de peur d'attirer la malchance. Comme toutes les femmes, elle le portait à l'annulaire gauche, et elle nous répétait que ce doigt menait directement au cœur et que la bague à ce doigt était la preuve de ses sentiments !

Croyances populaires

Beaucoup de croyances étaient rattachées aux joncs de mariage : faire tomber sur le sol, pendant la cérémonie du mariage, une des alliances était signe de malchance. Perdre son anneau dès le début du mariage ou même durant le voyage de noces était catastrophique !

Une vieille croyance anglaise a traversé le temps et se pratique encore aujourd'hui. Lors de la cérémonie du mariage, la mariée doit porter quelque chose de neuf, de vieux, d'emprunté et de bleu. Le neuf représente la nouvelle vie qui débute dès le mariage, le vieux reflète le passé, l'emprunt symbolise l'amitié et la tradition, et le bleu... la fidélité.

Il est bon de se rappeler cette autre superstition : le premier conjoint qui s'étend sur le lit nuptial, le soir des noces, mourra le premier ! Cette croyance permet de savoir qui deviendra veuf ou veuve. Difficile à croire !

Des problèmes... des solutions

Dès que la date est déterminée, les futurs mariés sont à la recherche d'idées originales pour personnaliser leur mariage.

Certains axeront la décoration et la cérémonie selon leurs passions en choisissant un thème. Il est alors important de bien informer les invités du concept, des couleurs choisies pour créer une harmonie en toute sobriété.

Pour ne rien oublier... la liste est d'une importance capitale ! Ajoutez à cette liste des moments de relaxation en couple où le sujet du mariage ne sera pas abordé. Lors de l'organisation, les mariés, surtout la mariée, vivent un grand stress. Les préparatifs pour cette journée qu'on veut parfaite peuvent dégénérer et devenir source de conflit.

ENLEVER LES TACHES DE VIN ROUGE

Lors de la réception, la robe de mariée est éclaboussée de vin rouge ! Sans paniquer, dirigez-vous vers la salle de bains avec une amie... et un verre de vin blanc. Votre amie pourra imbiber chaque tache rougeâtre de vin blanc et éponger ensuite le vin avec un papier absorbant. En quelques minutes, les taches disparaîtront.

Les p'tits trucs de Louise

Louer ou acheter ? • Une question pertinente à se poser si l'on tient compte du prix d'une robe de mariée portée une seule journée et qui finira probablement ses jours dans le grenier ou dans une penderie.

Vous désirez acheter la robe et la conserver en souvenir ? Dès votre retour du voyage de noces, ayez recours à un spécialiste pour nettoyer la robe et les accessoires. Si vous hésitez devant cette dépense supplémentaire, sachez que la saleté endommagera rapidement les fibres du tissu. Enveloppez la robe de papier de soie bleu pour préserver sa blancheur et rangez-la dans une boîte ou une housse fermant hermétiquement.

L'HOSPITALITÉ QUÉBÉCOISE

Ma grand-mère disait

« Quand il y en a pour quatre… il y en a pour cinq », disait ma grand-mère, si un invité-surprise s'annonçait à l'heure d'un repas. Grand-maman ouvrait sa porte et invitait à sa table les amis de tous les membres de la famille. Durant notre adolescence, c'est encore chez mes grands-parents que tout le groupe finissait la soirée en tartinant de bonnes confitures maison sur du pain grillé sur le vieux poêle.

Croyances populaires

Une superstition dit que si l'on échappe sur le sol des ustensiles de cuisine ou un linge de vaisselle, des visiteurs ne tarderont pas à arriver.

Au début du dernier siècle, certains villages du Québec étaient visités régulièrement par des quêteux qui avaient un itinéraire régulier et qu'on s'attendait à revoir une ou deux fois par année.

On laissait une place vide à la table « au cas où », et cette personne était invitée à se joindre à la famille pour le repas.

Des problèmes... des solutions

Le savoir-vivre • Être reçu s'avère très agréable. Normalement, dans les deux mois suivant ce repas, vous devez, à votre tour, rendre l'invitation. Si recevoir ces amis à la maison devient une corvée... vous devriez les inviter au restaurant.

La fondue est un repas très convivial qui se prépare facilement, se sert sans effort, et qu'on déguste lentement autour d'une table.

Si vous ne rendez pas l'invitation, vous risquez fort de perdre de vue ces personnes qui pourraient croire que vous ne souhaitez pas les fréquenter.

Décorer la table à la dernière minute • Réunissez quelques objets représentant le thème du repas. Par exemple, pour un brunch, choisissez quelques petits pots de confiture, une bouteille de lait miniature, une théière...

Pour un souper italien, regroupez une petite bouteille d'huile vide et des produits évoquant l'Italie, comme des boîtes de tomates colorées, des boîtes de pâte de tomates.

Rassemblez les objets au centre de la table. Un nombre impair d'articles donnera plus d'équilibre à l'ensemble.

Utilisez des contenants originaux et colorés, déposez-y un peu de feuillage et quelques fleurs naturelles. Teintez l'eau d'un récipient transparent avec du colorant végétal.

Les p'tits trucs de Louise

Une chambre accueillante pour les invités • Si des amis s'annoncent pour la nuit... prenez quelques minutes pour bien aérer la chambre des invités avant leur arrivée. Elle ne doit surtout pas sentir le renfermé ! Une bougie parfumée ou un bouquet de fleurs du jardin apporteront de la fraîcheur à la pièce.

Conservez à la maison de petits formats de savons, de shampoings, de dentifrice que vous déposerez dans une corbeille dans la chambre. Ajoutez sur la commode des serviettes de toilette. Les invités n'auront pas besoin de les demander.

Les draps doivent être propres. S'ils couvrent le lit depuis quelques semaines et n'ont pas été utilisés, il serait préférable de les changer. L'odeur de draps fraîchement lavés est des plus réconfortantes.

Parfumez les draps en les saupoudrant de talc et déposez quelques revues récentes sur la table de chevet.

METTRE LE COUVERT

Ma grand-mère disait

Dans la maison familiale, il y avait toujours des tantes et des oncles, des cousines et des cousins présents pour aider ma grand-mère à dresser les deux tables pour les soupers de fête. Grand-maman couvrait les tables de ses belles nappes crochetées ou brodées, sortait les verres de cristal et la porcelaine anglaise.

Les plus jeunes mangeaient dans la cuisine, tandis que les adultes fêtaient dans la salle à manger. Cette méthode nous permettait d'avaler rapidement notre repas et d'aller jouer dans le salon pendant que les parents étiraient leur repas avant de « sortir les jeux de cartes ».

Croyances populaires

Si vous échappez une fourchette en mettant le couvert, la superstition annonce la visite prochaine d'une femme. Par contre, si vous échappez un couteau, un homme viendra se joindre à votre tablée d'ici quelques heures.

Treize à table... c'est malchanceux et annonce une mauvaise soirée.

Vous attirez la malchance si vous faites tourner un ustensile ou une assiette sur la table ou formez une croix avec deux couteaux.

Des problèmes... des solutions

Il est important de recouvrir la table d'un molleton pour que le couvert soit dressé sur une surface moelleuse.

Poser la nappe et effacer les lignes de pliure avec un linge humide ou un fer à repasser.

Placer les assiettes à égale distance. Si le nombre des invités est impair, espacer les couverts d'un côté de la table pour éviter de laisser une place vide.

Sur une grande table, on doit déposer deux ensembles salière et poivrière.

Des marque-places originaux évitent la confusion.

Une carafe d'eau est toujours bienvenue sur la table.

Le service • Généralement, l'invité d'honneur (assis à la droite de l'hôte) et les dames sont servis avant les hommes. L'hôte sert le vin, à la droite du convive. On ne soulève pas le verre à vin pour le service. Si on préfère préparer un plat de service, on le présente au maître de la maison qui le fera circuler par la droite d'un invité à l'autre. Avant le service du dessert, on enlève le pain, la salière et la poivrière et on balaie les miettes du mieux que l'on peut.

Les p'tits trucs de Louise

Pour éviter les faux pas à table, tout est question d'orientation et d'organisation. Afin de ne rien oublier, montez un couvert à l'écart, dans la cuisine ; vous n'aurez qu'à reproduire ensuite cette disposition dans la salle à manger.

La serviette de table : on peut la déposer dans l'assiette, à gauche des fourchettes ou dans le verre. Après le repas, le convive doit déposer la serviette non repliée à gauche de l'assiette.

L'assiette à pain et le couteau à pain : à gauche.

Les verres à vin : à droite. Le premier vin sera servi dans le verre le plus à droite, en remontant vers la gauche tout au long du repas.

Le verre à eau : à l'extrême gauche ou derrière les verres à vin.

Les couteaux et cuillères : à droite, la lame des couteaux tournée vers l'assiette.

La fourchette et la cuillère à dessert : près du bord supérieur de l'assiette.

Les fourchettes : à gauche.

CONCLUSION

La simplicité, l'observation de la nature et la créativité sont à la base de croyances et de savoirs de plusieurs générations québécoises. À mon tour, j'ai désiré faire renaître ces traditions et ces trucs ingénieux de nos grands-parents.

Certains passages de ce livre ont peut-être réveillé en vous des souvenirs d'enfance rangés au fond de votre mémoire. Ces gestes posés au quotidien par nos grands-parents – l'entretien de la maison, leur sens de la débrouillardise en temps de crise, les recettes pour prévenir, combattre et soigner les maladies et leur sens inné de la fête et des traditions québécoises – demeurent un héritage à léguer à nos enfants et petits-enfants.

INDEX

REMERCIEMENTS

Merci à toutes ces femmes qui ont su meubler mon imaginaire et me transmettre leur savoir :

Mes grands-mères, Aline Mailhot Daignault, Médora Archambault Lamontagne

Ma mère, Rita Lamontagne Daignault

Ma belle-mère, Gabrielle Legault Robitaille

Mes tantes, Denise, Madeleine, Jacqueline, Jeanne, Cécile, Antoinette, Juliette

Et mes fidèles amies qui ont partagé avec moi, au cours des dernières années, leurs souvenirs de famille.

Merci en particulier à mon premier lecteur, François, un grand-père dont la connaissance de trucs s'est accrue au cours des derniers mois.

Merci à Julie Simard, mon éditrice, fidèle et enthousiaste lectrice, qui a su m'encourager et me conseiller tout au long de la rédaction de ce livre.

Œuvres littéraires québécoises citées :

Audet, Noël, *L'Ombre de l'épervier*, Éditions Québec Amérique, 1988 ; Éditions XYZ, 2004.

Bertrand, Janette, *Le Bien des miens*, Libre Expression, 2007.

Cousture, Arlette, *Les Filles de Caleb*, Éd. originale Éditions Québec Amérique, 1985 ; Libre Expression, 2003.

Grignon, Claude-Henri, *Un homme et son péché*, Éd. originale Éditions du Totem, 1933 ; coll. « 10 sur 10 », 2008.

Guèvremont, Germaine, *Le Survenant,* Éd. originale Beauchemin 1945 ; Éditions Fides, 2004.

Hébert, Anne, *Kamouraska*, Éditions du Seuil, 1970 ; Points, 2007.

Hébert, Anne, *Les Fous de Bassan*, Éditions du Seuil, 1982 ; Points, 1998.

Hémon, Louis, *Maria Chapdelaine*, Éd. originale J.A. LeFebvre, 1916 ; Fides, 1975 ; Erpi, 2007.

Jasmin, Claude, *La Petite Patrie*, Éd. originale La Presse, 1972 ; Éditions Typo, 1999.

Lemelin, Roger, *Les Plouffe*, Éditions La Presse, 1973 ; coll. « 10 sur 10 », 2008.

Roy Gabrielle, *La Route d'Altamont*, Éd. originale HMV, 1966 ; Boréal, 1993.

OUVRAGES CONSULTÉS

Benoit, Jehane, *L'Encyclopédie de la cuisine canadienne*, Les Messageries du Saint-Laurent, 1963.

Boisvenue, Lorraine, *Le Guide de la cuisine traditionnelle québécoise*, Stanké, 2009.

Boulanger, Patrick, *Le Savon de Marseille*, Éditions Équinoxe, 2002.

Chevrier, Yolande, *Les Remèdes de ma grand-mère*, Les Éditions Quebecor, 2008.

Dauray, Chantal, *Célébrons notre mariage*, Éditions Publistar, 2009.

Desilets, Mme Alphonse, *Manuel de la cuisinière*, Ministère de l'Agriculture de la province de Québec, 1924.

Huot, Juliette, *En cuisinant de 5 à 6*, Les Éditions de l'Homme, 1969.

Lapointe, Suzanne, *L'Art d'apprêter les restes*, Les Éditions de l'Homme, 1975.

L'Enseignement ménager au cours secondaire, approuvé par le Comité catholique du Conseil de l'instruction publique, 18 mai 1960.

Les 3200 recettes, recueil de recettes utiles, Troyes, Martelet, Imprimeur-Éditeur, 1900.

Manuel de la ménagère, publié par Montreal Advertising Agency, 1er décembre 1913.

Masson, Louise, *Sacrée politesse*, Éditions Publistar, 2005.

Narodetzki, Dr. A., *La Médecine végétale*, Bonne Nouvelle, 120e édition, 1907.

Peyret, Inès, *Vinaigres à tout faire*, Éditions du Dauphin, 2008.

Sœur Angèle, *Les Miracles culinaires de Sœur Angèle*, Les Éditions Publistar, 2003.

Rousseau, Jacques et Guy Béthune, *Voyage de Pehr Kalm au Canada en 1749*, Pierre Tisseyre, 1977.

Roy, Carmen, *Littérature orale en Gaspésie*, ministère du Nord canadien et des Ressources nationales, 1955.

Sansregret, sœur Berthe, *Les Recettes de sœur Berthe*, Éditions du Jour, 1974.

Veilleux, Diane, *Les Remèdes de grand-mère*, Diane Veilleux éditeur, 1990.

Cet ouvrage a été composé en The Serif Semi Light 10,35/14 et achevé d'imprimer en février 2010 sur les presses de Marquis imprimeur, Québec, Canada.

Imprimé sur du papier 100 % postconsommation, traité sans chlore, accrédité Éco-Logo et fait à partir de biogaz.

certifié   procédé sans chlore   100 % post-consommation   archives permanentes   énergie biogaz